Brigitte Vollwert-Diät

Brigitte Vollwert-Diät

Der neue Weg, auf gesunde Art abzunehmen und schlank zu bleiben.

Barbara Rias-Bucher

Ein Brigitte-Buch
im Mosaik Verlag

Impressum:
Herausgeber:
Peter Brasch
Lektorat:
Marita Heinz
Gestaltung:
Meyer, Blunck und Sennewald
Fotos:
Wolfgang Krüger
Fotostyling:
Marlies Klosterfelde

Produktion:
Bernd Bartmann, Druckzentrale G + J
Satz:
Utesch Satztechnik GmbH, Hamburg
Lithografie:
Offset Repro Team, Krefeld
Druck:
Mohndruck, Gütersloh

5432
Printed in Germany,
ISBN 3-570-6120-5

Barbara Rias-Bucher,
geboren 1948 in München, ist seit ihrer Promotion 1976 freie Food-Journalistin. Aus Überzeugung arbeitet sie seit Jahren auf dem Spezialgebiet Vollwertkost. Sie hat eine Reihe von Kochbüchern zu diesem Thema veröffentlicht, zum Beispiel das Brigitte-Buch Vollwert-Menüs.

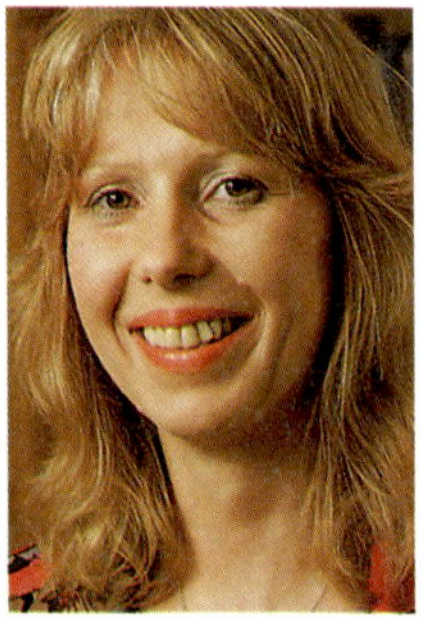

BARBARA RIAS-BUCHER

Vorwort

Dieses Buch will Ihnen keine neue Wunderkur anbieten. Es will Sie statt dessen wegführen vom Kalorienzählen und Hungern. Es will Ihnen die Angst vor dem Essen nehmen, vor dem „Zuviel", das den Weg in Richtung Idealgewicht und Schönheitsideal zum entbehrungsreichen Marsch macht. *Das* Idealgewicht gibt es nämlich gar nicht (mehr). Es gibt nur einen Maßstab: Ihr Idealgewicht, das Sie mögen, weil Sie sich wohl fühlen damit. Das sind gewiß ein paar (oder auch viele) Pfunde weniger, als Ihre Waage gerade anzeigt. Und die werden Sie mit Hilfe dieses Buches verlieren – ohne Hunger, ohne Selbstkasteiung. Sie werden abnehmen, weil Sie sich auf eine neue, vernünftige Art ernähren. Die Anleitung dafür gibt Ihnen diese Vollwertdiät. Denn vollwertig essen wird von Ernährungsfachleuten und inzwischen auch von Diätforschern empfohlen. Das hat gute Gründe:
– kohlenhydratreiches Essen macht fit und fröhlich;
– Ballaststoffe bringen die Verdauung auf Trab;
– Eiweiß in der richtigen Mischung macht satt, aber nicht schlapp;
– viele Nährstoffe bei weniger Kalorien sorgen dafür, daß Sie abnehmen, ohne zu hungern;
– Abwechslung beim Essen bewahrt vor zu vielen Schadstoffen.

Deshalb gibt es bei dieser Vollwertdiät auch keinen Leistungsabfall und keine Diätdepression. Im Gegenteil: Sie werden sich körperlich und seelisch besonders wohl fühlen. Denn Sie bekommen ja alle Nährstoffe in der optimalen Mischung. Und so viel zu essen, daß Sie nicht hungrig sind. Denn die Lust am Essen ist nicht nur erlaubt, sondern sogar erwünscht bei der Vollwert-Diät. Doch keine Angst, daß Sie zuviel essen, weil's so gut schmeckt: Wenn Sie vollwertig essen, sind Sie schneller und vor allem angenehm satt. Und das gilt natürlich nicht nur für diese Vollwert-Diät: Wenn Sie Ihr ideales Gewicht halten wollen – das Sie mit dieser Diät sicher erreichen! –, brauchen Sie nur weiter vollwertig zu essen. Überflüssige Pfunde werden dann nie mehr ein Problem für Sie sein!

Vollwertig kochen erfordert übrigens keine Vorkenntnisse. Was neu oder anders ist, wird gleich zu Beginn erklärt: wann Sie welches Obst und Gemüse am besten kaufen, was Sie im Vorrat haben sollten, wo Sie was besorgen können, warum Sie öfter einkaufen sollten, welche Grundrezepte für den Einstieg wichtig sind. Außerdem finden Sie alles Wissenswerte über Zutaten, die Sie brauchen, direkt bei den Tagesplänen (ab Seite 50).

Ich schlage Ihnen vor, sich bei Ihrer Diät zunächst an die exakt ausgearbeiteten Tagespläne zu halten. Wenn Sie vier Wochen – oder auch mehrere Monate – lang nach dieser genauen Anleitung gekocht haben, sind Sie erfahren genug, sich aus den Rezepten des zweiten Buchteils (ab Seite 126) Ihre eigenen Speisepläne zusammenzustellen. Haben Sie Ihr Wunschgewicht erreicht, können Sie das Buch als Ihr Vollwertkochbuch weiter nutzen. Auch ohne Kalorien zu zählen, werden Sie nicht mehr zunehmen. Und das Beste überhaupt für Ihre Gesundheit tun: richtig essen.

Warum wollen Sie abnehmen?

Zugegeben: Diese Frage klingt in einem Diätbuch etwas merkwürdig. Sie haben sich das Buch ja besorgt, *weil* Sie abnehmen wollen. Trotzdem sollten Sie noch einmal über das Warum nachdenken. Das zu tun, kann Ihnen nämlich beim Abnehmen helfen.

Gibt man Ihnen mehr oder weniger direkt zu verstehen, daß Sie schlanker sein sollten? Vermutet man sogar, hinter Ihrer Lust am Essen könne „ein Problem" lauern? Wenn Sie sich zum Abnehmen entschließen, weil andere Menschen es Ihnen nahelegen, werden Sie vermutlich wenig Erfolg haben: weil Sie Ihren Entschluß nicht freiwillig fassen. Vielleicht fühlen Sie sich ja im Augenblick mollig durchaus wohl. Stehen Sie dazu – bis *Sie* wirklich Lust haben, schlanker zu werden.

Oder angenommen, Sie stecken gerade in einer Krise und gehören zu den Menschen, die Streß mit Kalorien bekämpfen. Selbst auf die Gefahr hin, daß Sie sich nun vielleicht Kummerspeck anessen, sollten Sie noch keine Diät beginnen. Seien Sie lieber nett zu sich, bis die Streßphase vorüber ist. Bestrafen Sie sich nicht auch noch durch Nahrungsentzug. Eine Diät wäre jetzt noch zusätzlich Streß. Und könnte Sie noch tiefer in die Krise hineinbringen: wenn Sie nämlich nicht durchhalten und über diesem angeblichen „Versagen" das Zutrauen in sich verlieren.

Den Entschluß zur Diät sollten Sie also keinesfalls in Panik oder Ihrem Freund, Partner, Mann zuliebe fassen. Das gilt natürlich auch für Männer: wenn Ihre Partnerin Sie lieber drahtig mag, ist das zunächst noch *Ihr* Problem nicht. Erst wenn auch *Sie* sich wünschen, schlanker zu sein, beginnen Sie mit der Diät.

Gerade auf die Vollwert-Diät sollten Sie selbst Lust haben. Sie sollten richtig gespannt sein auf die neue Erfahrung: wie man anders essen und dabei abnehmen kann. Und wie man dabei höchst vergnügt, fit und leistungsstark sein kann. Sie sollten Lust darauf haben, endlich *im* Einklang mit Ihrem Körper zu leben und nicht mehr *gegen* „seine" Pfunde anzukämpfen. Dann werden Sie nichts entbehren, sondern sich sehr wohl fühlen. Und schlanker werden.

Normalgewicht und Übergewicht

Das Broca-Normalgewicht (Körpergröße in Zentimeter minus 100) ist heute kein verbindlicher Maßstab mehr, sondern nur noch ein Richtwert. Und die These, nur das sogenannte Idealgewicht (Normalgewicht minus 15 Prozent bei Frauen, zehn Prozent bei Männern) garantiere Gesundheit und langes Leben, hat sich als falsch erwiesen. Das richtige Gewicht leitet man deshalb nicht mehr generell von der Körpergröße ab; jeder Mensch scheint vielmehr sein persönliches Normalgewicht zu haben, das sich bei vernünftiger Ernährung allmählich von selbst einpendelt. Bei vernünftiger Ernährung wohlgemerkt. Das Problem unserer Wohlstandsgesellschaft aber ist ja, daß wir allzu üppig essen. Die Vollwertdiät ist die ideale Möglichkeit, Ihr Normalgewicht kennenzulernen. Und es mühelos zu halten.
Es kann aber auch sein, daß Sie unbedingt abnehmen sollten. Z. B. weil Ihr Gewicht 20 oder mehr Prozent über dem Broca-Normalgewicht liegt. Oder weil Sie dort zwar (noch) nicht angelangt sind, aber ständig zunehmen. Oder weil Sie an Bluthochdruck, Kreislaufbeschwerden und Atemnot leiden, weil Ihre Blutfettwerte zu hoch sind, weil Sie Probleme mit der Verdauung haben. Mit den genauen Tagesplänen für vier Wochen (ab Seite 50) lernen Sie Schritt für Schritt, besser zu essen. Und kommen gar nicht erst in Versuchung, zuviel zu essen. Weil der Nährstoffbedarf stimmt und Sie alles kriegen, was Sie zum Wohlfühlen brauchen.

Wie abnehmen?

Möglichst langsam, denn der Körper wacht gewissermaßen über seine (Fett-)Reserven. Abzwingen läßt er sie sich nur vorübergehend. Vielleicht haben Sie selbst schon diese Erfahrung gemacht: Mit viel Selbstdisziplin kann man sich in zwei Wochen wirklich zehn Pfund und mehr runterhungern. Nur: Es dauert nicht lange, und man hat seine Pfunde wieder, oft sogar noch mehr. Viele Menschen – besonders Frauen – sind so in einen „Diätkreislauf" geraten – ein quälendes Wechselspiel zwischen zuwenig und zuviel Nahrung, das schließlich zu ernsthaften Eßstörungen führen kann.

Die Gründe dafür kennt man inzwischen. Rasche Gewichtsabnahme läßt sich nur durch Hungern erreichen: das heißt, dem Organismus wird wesentlich weniger Energie zugeführt, als er *gewohnt* ist. Auch wenn das sehr viel mehr war, als er eigentlich *braucht,* reagiert der Körper auf den „Mangel" an Nahrung mit regelrechten Entzugserscheinungen: Man wird das Gefühl der Unzufriedenheit nicht los, denkt ständig ans Essen und wartet sehnsüchtig auf die Zeit, da man wieder „normal" essen kann. Sobald dieser Zeitpunkt dann gekommen ist, holt sich der Organismus das Fett wieder, das man ihm mit zäher Selbstkontrolle abgezwungen hat. Denn bei den Miniportionen hat der Körper gelernt, jede verfügbare Kalorie optimal zu verwerten. Deshalb holt er jetzt auch aus der größeren Nahrungsmenge alles heraus, um wieder auf die Reserven zu kommen, an die er gewöhnt ist. Außerdem ist der Reiz, über den Hunger zu essen, nach einer solchen Radikalkur bei vielen Menschen noch größer als zuvor...

Um diesen „Diätkreislauf" von vornherein zu vermeiden, bekommen Sie bei der Vollwertdiät mehr zu essen als bei anderen Schlankheitskuren. Damit der Organismus sich langsam umstellen kann. Damit Sie nicht hungrig sind. Und Sie kriegen reichlich Kohlenhydrate, die dafür sorgen, daß Sie ausgeglichen und gut gelaunt sind. Denn Hunger und Mißmut wären die größten Feinde Ihrer Diät.

Warum fünfmal am Tag essen?

Damit Sie den ganzen Tag über satt sind und zwischendurch gar nicht ans Essen denken. Denn das drückt auf die Stimmung. Außerdem: Wenn man Hunger hat, ißt man zu schnell und deshalb meist auch zuviel. Der Körper braucht nämlich eine gewisse Zeit, bis er Sättigung „spürt". Bei raschem Kauen und Schlucken läßt man ihm diese Zeit nicht; das Signal zum Aufhören erfolgt vielleicht erst, wenn man schon mehr im Magen hat, als man braucht. Essen Sie langsam, machen Sie immer wieder eine kleine Pause. Dann lernen Sie (wieder), das angenehme Gefühl der Sättigung wahrzunehmen: es ist der natürlichste Appetitzügler, den es gibt. Gründliches Kauen unterstützt auch die Verdauung, weil dabei Geschmacks- und Geruchsstoffe frei werden. Die wiederum üben einen Reiz im Körper aus, der den gesamten Verdauungsapparat richtig in Gang bringt.

Viel trinken!

Pro Tag braucht der Körper zweieinhalb bis drei Liter Flüssigkeit. Etwa einen Liter bekommt er mit der Nahrung, den Rest müssen Sie trinken. Stillen Sie den Durst mit Mineralwassser und Kräutertee. Ergänzen können Sie mit Gemüsesaft, ab und zu auch mit ungesüßtem Fruchtsaft. Auch auf Kaffee und schwarzen Tee brauchen Sie nicht zu verzichten, falls Sie ihn gut vertragen: Bis zu sechs Tassen am Tag schaden nicht. Bekömmlicher sind Kaffee und Tee mit einem Schuß Milch. Zucker lassen Sie besser weg, denn der liefert Kalorien, sonst nichts.
Beim Abnehmen mit Vollwertkost sollten Sie möglichst auf drei Liter Flüssigkeit täglich kommen, damit die Schlacken, die beim Abbau von Körperfett entstehen, gleich ausgeschwemmt werden, da-

mit Ihre Haut schön straff bleibt und die Verdauung gut funktioniert. Zu ballaststoffreichem Essen gehört viel Flüssigkeit. Die Faserstoffe quellen dann im Darm auf, sorgen für Sättigung und den raschen Transport der Nahrung.

Bewegung macht schlank

Jeden Tag eine Stunde Bewegung, und zwar so, daß Sie dabei ins Schwitzen kommen – das wäre ideal beim Diäthalten. Ob Sie Gymnastik machen oder radfahren, ob Sie lieber zügig spazierengehen, ob Sie Tennis oder Squash spielen: Wählen Sie das, was Sie am liebsten tun, damit Sie auch „dranbleiben". Körperliche Aktivität bringt durch die größere Sauerstoffzufuhr den Stoffwechsel auf Trab. Und Sie werden merken, daß Sie eher weniger Hunger haben, wenn Sie sich kräftig bewegen – und nicht etwa umgekehrt.

Was tun, wenn ...

– Sie zum Essen eingeladen sind und nicht an die große Glocke hängen wollen, daß Sie gerade Diät machen?
Nehmen Sie mehr von den Beilagen, also Gemüse, Salat, Kartoffeln, Reis und Nudeln, und wenig Fleisch. Das fällt bestimmt nicht auf, denn es gibt inzwischen eine ganze Menge Leute, die Fleisch nur in Miniportionen essen.
– Sie im Restaurant essen?
Vielleicht können Sie ja in ein vegetarisches Restaurant gehen. Sonst nehmen Sie vorweg am besten Salat. Anschließend im deutschen Restaurant und beim Italiener Fisch, beim Griechen Tsatziki oder gemischte Vorspeisen und Brot, beim Inder Curry aus Hülsenfrüchten, Kartoffeln oder Gemüse, beim Chinesen ein Gericht mit Tofu und Gemüse, eventuell auch mit Huhn.

– Sie plötzlich Heißhunger spüren?
Essen Sie bitte keine Süßigkeiten – auch keinen Müsliriegel –, sondern Joghurt mit einer Scheibe Vollkornbrot oder einem Apfel. Oft hilft auch eine Tasse heiße Gemüsebrühe mit etwas Brot. Manchmal kriegt man kurz vor dem Schlafengehen noch Hunger. Trinken Sie dann heißen Kräutertee oder ein Glas warme Milch.

– Sie unbedingt mal etwas knabbern müssen?
Schneiden Sie eine Möhre und einen Apfel (oder eine Orange) in ganz kleine Stücke, und knabbern Sie's zusammen mit fünf oder sechs Haselnußkernen ganz langsam.

– die Waage tagelang keine Gewichtsabnahme zeigt?
Nichts. Vor allem sollten Sie nicht in Panik geraten! Es kann sein, daß Sie gerade Wasser im Körper speichern – etwa vor der Menstruation. Oder daß Ihr Körper gerade auf Sparflamme läuft. Dann hilft mehr Bewegung.

– die Waage plötzlich ein Kilo mehr anzeigt?
Ebenfalls nichts. Beim weiblichen Zyklus zum Beispiel ist auch eine scheinbare Gewichtszunahme normal. Warten Sie in Ruhe ab: Wenn Sie sich genau an die Tagespläne halten, pendelt sich Ihr Gewicht ein.

– Sie mal mehr gegessen haben, als Sie wollten?
Einfach mit der Diät weitermachen. Auf keinen Fall sollten Sie hungern oder die beiden Vorbereitungstage wiederholen. Im Test – die Vollwert-Diät ist von Frauen und Männern ausprobiert worden – hat sich nämlich gezeigt, daß dies ganz falsch wäre. Entweder man erliegt einem Selbstbetrug: „Ich kann ruhig mal ‚richtig' essen, dann faste ich eben wieder." Damit geraten Sie leicht in den beschriebenen „Diätkreislauf". Oder Sie reden sich ein regelrechtes Schuldgefühl ein: „Ich habe gesündigt, also muß ich mich mit Nahrungsentzug bestrafen." Essen ist keine „Sünde" und mal zuviel zu essen kein „Versagen"!

Getreide

1 Roggen, 2 Weizenflocken, 3 Hirse, 4 Bulgur, 5 Weizenkörner, 6 Dinkel, 7 Grünkern, 8 Maiskörner, 9 Polenta (Maisgrieß), 10 Maisknusperflocken, 11 Buchweizen, 12 Natur-Rundkornreis, 13 Natur-Langkornreis, 14 Reisflocken, 15 Haferkörner, 16 Haferflocken, 17 Gerstenkörner und -flocken

15
12
16
13
17
14

Getreide zum Kennenlernen

Getreide ist für eine gesunde Ernährung sehr wichtig, weil es außer dem Lebensbaustein Eiweiß auch die Energielieferanten Fett und Kohlenhydrate enthält. Dazu noch Ballaststoffe, die für eine geregelte Verdauung, sowie Vitamine und Mineralstoffe, die für das reibungslose Funktionieren des Stoffwechsels sorgen.

Weizen liefert von allen Getreidesorten am meisten Eisen; Eisenmangel macht müde und depressiv, man ist unkonzentriert und auch anfälliger für Infektionskrankheiten. Im Getreidekeim sitzt überdies reichlich Vitamin E. Der Eiweißgehalt von Weizen ist im Vergleich zu anderen Getreidesorten hoch, der Fettgehalt gering. Weizen eignet sich auch besonders gut zum Backen: er enthält zwei Eiweißbausteine in einem sehr günstigen Verhältnis. In Verbindung mit Wasser bilden sie den „Kleber", der für ein festes Teiggerüst sorgt, dem Gebäck Volumen und Lockerheit gibt. Übrigens gelingt jedes Gebäck mit Vollkornmehl genauso gut wie mit Auszugsmehl; Hefeteig geht mit Vollkornmehl sogar noch besser auf, denn die vielen Nährstoffe sind das richtige „Futter" für die Hefezellen.

Bulgur, auch Bulghur oder Burghul genannt, ist vorgekochter, getrockneter und mehr oder weniger grob vermahlener Weizen, den Sie am preiswertesten in türkischen Lebensmittelgeschäften bekommen. Durch das Vorkochen ist Bulgur in etwa 20 Minuten gar. Im Reformhaus oder Grünen Laden gibt es „Thermo-Weizengrütze", die nicht vorgekocht, sondern nur getrocknet und gemahlen ist. Thermo-Grütze muß bis zu einer Stunde quellen.

Roggen ist ein wichtiges Brotgetreide, das besonders viel Calcium – gut für Zähne und Nerven – enthält. Roggen liefert etwas weniger, dafür hochwertigeres Eiweiß als Weizen und etwa ebensoviel Fett. Roggenbrote halten sich länger frisch als Weizenbrote, weil Teig aus Roggenmehl mehr Wasser binden kann und das Gebäck deshalb nicht so rasch austrocknet. Roggen schmeckt kräftiger als Weizen; die Körner brauchen zum Garen etwa eine halbe Stunde länger, damit sie gut verdaulich sind.

Dinkel ist eine mit dem Weizen verwandte Getreidesorte und unterscheidet sich von ihm nur durch den intensiveren Nußgeschmack.

Grünkern ist unreif geernteter, gewässerter und wieder getrockneter Dinkel mit viel hochwertigem Pflanzeneiweiß, Calcium, Phosphor und Eisen. Auch Grünkern schmeckt nußartig.

Hafer hat von allen Getreidesorten den höchsten Gehalt an wertvollem Eiweiß und Fett mit der lebenswichtigen Linolsäure. Durch den hohen Fettgehalt wird Hafer schneller ranzig als andere Getreidesorten und schmeckt dann leicht bitter. Kaufen Sie Hafer deshalb möglichst offen und in kleineren Mengen, die Sie bald verbrauchen.

Gerste enthält von allen Getreidesorten am meisten Vitamin B_2, außerdem reichlich Kalium, Calcium, Phosphor und Magnesium.

Reis hat von allen Getreidesorten am wenigsten Eiweiß. Sein Fettgehalt entspricht etwa dem von Weizen; er ist leicht verdaulich, vitamin- und mineralstoffreich. Das gilt allerdings nur für Naturreis. Weißer Reis ist für die Ernährung ziemlich wertlos: Beim Schleifen und Polieren des Korns werden nämlich die Ballaststoffe der Samenschale, das nährstoffreiche Silberhäutchen und die darunter liegende Aleuronschicht, die ebenfalls reichlich Eiweiß, Fett, Vitamine und Mineralstoffe enthält, entfernt. Gesünder ist der (elfenbeinfarbene) Parboiled-Reis, der durch ein spezielles Verfahren mit Vitaminen angereichert wird. Zwar enthält auch er keine Ballaststoffe. Aber wenn Sie ihn lieber mögen als Naturreis, bereiten Sie ihn einfach mit ballaststoffreichen Lebensmitteln wie Hülsenfrüchten und Gemüse zu. Weil Reis so wenig Eiweiß enthält, sollten Sie ihn in einer Mahlzeit mit eiweißreichen Produkten kombinieren: zum Beispiel können Sie ihn mit ein paar gehackten Nüssen mischen und dazu Hülsenfrüchte in einer Sahnesoße und/oder etwas Käse essen.

Hirse ist ein Sammelbegriff für eine ganze Reihe von verschiedenen ährenlosen Gräsern. Sie hat von allen Getreidesorten die kleinsten und härtesten Körner. Trotzdem ist sie leicht verdaulich, am schnellsten gar und muß nicht vorgeweicht werden. An Nährstoffen enthält Hirse besonders viel Magnesium und Eisen.

Mais enthält etwas mehr Eiweiß als Reis, ist aber ebenfalls eine eher eiweißarme Getreidesorte. Deshalb sollten Sie auch ihn immer mit einem eiweißreichen Lebensmittel kombinieren. Am besten passen Bohnen dazu: Ein Salat oder ein Gemüsegericht aus Bohnen und Mais liefert mehr Eiweiß als eine Mahlzeit mit Fleisch oder Fisch. Am besten zu bekommen sind Maiskörner in Dosen. Oder Sie nehmen *Polenta,* mehr oder weniger grob vermahlenen Maisgrieß.

Buchweizen ist kein Getreide (weil es botanisch nicht zu den Gräsern gehört), sondern ein Wiesenkraut. In der Küche wird er jedoch wie Getreide verarbeitet. Er enthält etwa so viel Pflanzeneiweiß wie Weizen. Sein Fettgehalt ist etwas geringer. Wie Getreide liefert er Vitamine der B-Gruppe. Buchweizen schmeckt sehr kräftig, nußartig und eine Spur bitter.

Getreideflocken gibt es von Weizen, Hafer, Hirse, Reis und Mais. Für Vollkornflocken werden die Körner durch eine Walze gequetscht. Solche Walzen mit Handbetrieb gibt es inzwischen auch für den Haushalt zu kaufen. Getreideflocken sind auch Bestandteil fertiger *Müslimischungen,* die in Reformhäusern und Grünen Läden verkauft werden. Wichtig: Sehen Sie sich bitte die Zutatenliste genau an, und wählen Sie nur ein Müsli ohne Zusatz von Zucker, Zuckerrohrgranulat oder Honig.

Knusperflocken sind kein vollwertiges Lebensmittel mehr, weil die Körner durch die Verarbeitung einen

Teil der Eiweißbestandteile und Vitamine verlieren. Trotzdem können Sie Knusperflocken ab und zu ohne weiteres essen: Ein Müsli aus Milch oder Joghurt, Obst, Nüssen und Flocken enthält genügend Nährstoffe. Wichtig ist nur, daß Sie ungesüßte Knusperflocken nehmen.

Getreide kaufen Sie am besten im Reformhaus, im Grünen Laden oder bei einem Bauern, dem Sie wirklich vertrauen können. Es muß nämlich fachgerecht gereinigt und verlesen worden sein, sonst könnte es gefährlich werden: Manchmal mischen sich unter die Körner Samen der giftigen Kornrade oder – vor allem bei Roggen – das hochgiftige Mutterkorn, ein schwärzliches, stark vergrößertes Getreidekorn. Sie sollten Getreide deshalb nur dann selbst verlesen, wenn Sie sich genau auskennen.
Ganze Getreidekörner halten sich – luftig und trokken gelagert – etwa ein Jahr; nur Hafer sollten Sie nicht so lange aufbewahren. Schrot und Mehl sind etwa vier Wochen haltbar. Danach tritt allmählich ein Nährstoffverlust ein. Wenn Sie ganz sichergehen wollen, mahlen Sie Schrot und Mehl unmittelbar vor dem Verbrauch. Dann gehen gar keine Nährstoffe verloren.

1
2
3
4
5
6
7
8

Hülsenfrüchte und Tofu

1 Sojadrink, 2 Sojasoße, 3 Räuchertofu, 4 Tofu „pur“, 5 schwarze (Puy)Linsen, 6 braune Tellerlinsen, 7 Mungobohnen, 8 kleine rote Linsen, 9 ungeschälte gelbe Erbsen, 10 Kichererbsen, 11 weiße Bohnen, 12 geschälte grüne Erbsen, 13 rote Bohnen, 14 schwarze Bohnen, 15 Zuckerschoten, 16 frische grüne Erbsen mit Schoten, 17 frische grüne Bohnen, 18 frische Dicke Bohnen mit Schoten

Hülsenfrüchte und Tofu zum Kennenlernen

Hülsenfrüchte sind die eiweißreichsten Pflanzen. Außerdem enthalten sie reichlich Vitamine der B-Gruppe, Eisen und außerdem Kalium, das den Wasserhaushalt in unserem Körper mitsteuert: Das in Salz enthaltene Natrium bindet Wasser; kaliumreiche Lebensmittel helfen dem Körper, es wieder loszuwerden. Wer oft Bohnen und Erbsen, Kichererbsen, Linsen und Soja ißt, braucht mit Salz also nicht so zu sparen. Hülsenfrüchte enthalten viele Kohlenhydrate, auch reichlich Ballaststoffe. Die transportiert der Darm ziemlich rasch, und das unterstützt die Verdauung. Hülsenfrüchte machen also keineswegs dick, denn sie gehören zu den Lebensmitteln mit großer Nährstoff-, aber kleiner Energiedichte: Etwa 30 Prozent der zugeführten Kalorien werden vom Organismus gar nicht verwertet.

Bohnen gibt es als Schoten oder Samen. Stangenbohnen haben lange und breite Schoten, Buschbohnen kürzere, runde. Außerdem können Sie noch blaue Bohnenschoten (sie werden beim Kochen grün) und gelbe Wachsbohnen kaufen.
Frische Bohnensamen bekommt man selten, da sie meist gleich nach der Ernte getrocknet, tiefgefroren oder sonstwie konserviert werden. Welche Bohnen angeboten werden, ist regional verschieden: Dicke Bohnen (Puffbohnen, Pferdebohnen, Saubohnen) zum Beispiel gelten in Süddeutschland auch heute noch – zu Unrecht! – nicht als Delikatesse, sondern als Viehfutter, so daß man sie dort nicht einmal tiefgefroren überall kaufen kann. (Zuckerschoten dagegen, eine besonders feine Erbsenzüchtung, bei der es auf die fleischigen und doch zarten Schoten ankommt, sind in Norddeutschland nur wenig bekannt.)
Alle Bohnen – ob Schoten oder Samen – enthalten ein natürliches Gift, das erst durch Garen unschäd-

lich gemacht wird. Frische Bohnen sollte man also niemals roh essen.
Bei getrockneten Bohnensamen können Sie zwischen großen und eher kleinen, weißen, schwarzen, roten und gesprenkelten wählen. Sie unterscheiden sich nicht im Nährstoffgehalt, sondern nur in Geschmack und Kocheigenschaften voneinander. So werden weiße Bohnen beim Kochen mehlig und im allgemeinen weicher als bunte. Schwarze Bohnen schmecken leicht süßlich und behalten beim Kochen ihre Form. Rote Bohnen kochen mehlig, gesprenkelte eher fest.
Erbsen werden ebenfalls frisch, tiefgefroren, konserviert oder getrocknet angeboten. Es lohnt nicht, frische Erbsen zu kaufen: sie sind ziemlich teuer, das Auspalen dauert lang, und von einem Kilo mit Schoten bleiben nur etwa 400 Gramm Samen übrig. Außerdem schmecken tiefgefrorene Erbsen, wenn sie nur kurz gegart werden, ebensogut wie frische.
Gelbe oder grüne Trockenerbsen sollten Sie möglichst ungeschält kaufen. Geschälte Erbsen werden nämlich geschliffen und poliert, manchmal auch gefärbt (mit natürlichen Farbstoffen wie z. B. Karotin). Ungeschälte Erbsen brauchen zum Garen zwar länger, liefern aber mehr Nährwerte und Ballaststoffe.
Kichererbsen stammen aus Vorderasien und zählen vor allem im spanischen und afrikanischen Mittelmeerraum zu den wichtigen Lebensmitteln. Sie können sie wie Trockenerbsen verwenden. Außerdem eignen sie sich gut zum Keimen.
Linsen unterscheidet man im Lebensmittelhandel nicht nach Sorten, sondern nach Größe, was sich auch auf den Preis auswirkt: Große Linsen sind teurer, obwohl die kleinen mindestens ebensogut schmecken.
Die großen Tellerlinsen bekommen Sie überall. Wie lange die Linsen bereits gelagert sind, erkennen Sie an der Farbe: Zunächst sind sie grünlich; im Laufe der Zeit verfärben sie sich von Gelbbraun bis Hell-

braun. Besonders aromatisch sind die kleinen rundlichen Puy-Linsen. Nicht ganz vollwertig, weil geschält, sind die kleinen roten Linsen: sie sind intensiv orangerot, halbiert und von allen Linsen am schnellsten gar. Zu kaufen gibt es die beiden kleinen Sorten in Grünen Läden, manchen Reformhäusern und in asiatischen Lebensmittelgeschäften.

Sojabohnen sind die eiweißreichsten Hülsenfrüchte. Von den mehreren hundert Arten werden bei uns hauptsächlich drei angeboten. Welche Sie wählen, hängt davon ab, was Sie damit machen wollen:

– Zum Kochen ist die rote, leicht verdauliche Azukibohne am besten. Sie schmeckt sehr würzig und bleibt beim Garen kernig fest.

– Zum Keimen nimmt man grüne Mungobohnen.

– Gelbe Sojabohnen werden vor allem zu Tofu verarbeitet. Wenn man sie wie andere Hülsenfrüchte zubereitet, kann der Körper ihr Pflanzeneiweiß nämlich nur teilweise verwerten.

Sojasoße wird aus Sojabohnen, Weizen, Wasser und Salz hergestellt. Dabei gibt es verschiedene Verfahren. Am besten, weil natürlichsten, ist Gärung. Sojabohnen und Weizen werden dafür zu gleichen Teilen gemischt und mit einem – unschädlichen – Schimmelpilz zum Gären gebracht. Durch Zugabe von Salzwasser kommt ein Enzymprozeß in Gang: Das Sojaprotein spaltet sich in kleinere Bausteine auf, die Weizenstärke verwandelt sich in Zucker. Bei der monatelangen Gärung entwickeln sich allmählich dunkle Farbe und würziger Geschmack der Sojasoße.

Die verschiedenen im Handel üblichen Bezeichnungen sagen nichts über die Qualität aus. Shoyu ist im allgemeinen japanische Sojasoße. Tamari enthält keinen Weizen, sondern wird nur aus Sojabohnen, Wasser, Salz und Gärungsmitteln hergestellt.

Für die Qualität von Sojasoße ist die Gärungszeit entscheidend: die kann man nämlich mit etwas Chemie auf drei Tage verkürzen. Ein Hersteller von natürlich vergorener Sojasoße wird also auf der Flasche Angaben zur Gärungszeit machen. Die Zutaten müssen ohnehin aufgelistet sein.

Sojamilch wird unter der Produktbezeichnung Sojadrink verkauft, weil als „Milch" nur angeboten werden darf, was von der Kuh stammt. Sojamilch enthält im Gegensatz zur Kuhmilch weder Cholesterin noch Milchzucker, ist also eine Alternative für Menschen, die auf Milchzucker allergisch reagieren. Sojamilch liefert etwas mehr Eiweiß und viel weniger Fett als Kuhmilch. Im Mineralstoff- und Vitamingehalt sind beide etwa gleich. Wer Milch durch Sojamilch ersetzt, muß auf die Calciumzufuhr achten: also öfter mal Joghurt oder Dickmilch essen, die ebenfalls keinen Milchzucker, aber reichlich Calcium enthalten.

Tofu sieht aus wie schnittfester Quark und wird aus gelben Sojabohnen hergestellt. Er ist leicht verdaulich, reich an hochwertigem pflanzlichem Eiweiß und wertvollen Fettsäuren, dagegen frei von Cholesterin. Allerdings enthält er kaum Kohlenhydrate und Ballaststoffe und sollte deshalb immer mit Gemüse, Nüssen, Vollkornnudeln, Naturreis oder Hülsenfrüchten kombiniert werden. In Grünen Läden und Reformhäusern gibt es inzwischen außer Tofu „pur" den Sojaquark auch mit Kräutern, Gemüse oder Algen gemischt. Manchmal bekommt man sogar Räuchertofu, der mit Algen oder mit Pilzen aromatisiert ist. Räuchertofu eignet sich gut als Brotbelag. Normalen Tofu können Sie wie Fleisch zubereiten – also braten, grillen oder schmoren. Für Frikadellenteig muß er entweder püriert oder mit einer Gabel ganz fein zerdrückt werden, damit die Frikadellen beim Braten gut zusammenhalten.

Tofu, den Sie bei einer Mahlzeit nicht aufbrauchen, geben Sie in ein Gefäß mit Wasser. Wenn Sie es verschlossen in den Kühlschrank stellen, hält er sich etwa eine Woche; das Wasser sollten Sie täglich erneuern. Tofu läßt sich auch einfrieren, nach dem Auftauen ist er leicht porös.

Nüsse, Samen und Trockenfrüchte

1 Cashewnüsse, 2 Pistazien in der Schale, Pistazienkerne, 3 Sonnenblumenkerne, 4 Pinienkerne, 5 Haselnüsse, 6 Kürbiskerne, 7 geschälte Sesamsamen, 8 Walnüsse, 9 Trokkenpflaumen, 10 getrocknete Aprikosen, 11 Mandeln in der Schale, ungehäutete Mandelkerne, abgezogene Mandelkerne, 12 Korinthen, 13 Rosinen, 14 Nußmus

8
11
13
12
14

Nüsse, Samen und Trockenfrüchte zum Kennenlernen

Nüsse und Samen sind zur Vermehrung der Pflanzen da. Deshalb enthalten sie – wie der Getreidekeim – besonders viele wertvolle Nährstoffe: Vitamine und Mineralstoffe, Eiweiß und Fett mit der lebenswichtigen Linolsäure, die unser Körper nicht selbst bilden kann. Das Eiweiß von Nüssen und Samen ergänzt sich besonders gut mit dem von Hülsenfrüchten: Ein Bohnengemüse, mit Nüssen bestreut, liefert Ihnen mehr Eiweiß als ein Fleischgericht.

Nüsse sollten Sie möglichst in der Schale kaufen, denn sie konserviert die Keime auf natürliche Weise. Bereits geschälte Nüsse – vor allem, wenn sie auch noch gehackt oder gemahlen sind – werden schneller ranzig und schimmelig. (Um das zu verhüten, sind sie meist chemisch behandelt.)

An den Schalen von Walnüssen können Sie übrigens erkennen, ob die Nüsse gewaschen und mit einem Bleichmittel behandelt sind: Kleine, schrumpelige, dunkle Walnüsse sind naturbelassener als die mit den hellen Schalen. Sie schmecken besser und stammen oft sogar aus biologischem Anbau. Allerdings sind sie dann bedeutend teurer. Das gilt auch für Haselnüsse aus biologischem Anbau.

Welche Nüsse oder Samen Sie auch verwenden – nährstoffreich sind alle. Trotzdem sollten Sie – wie überhaupt beim Essen – abwechseln, damit Sie viele Nährstoffe und wenige Schadstoffe bekommen.

Nicht so günstig sind Paranüsse und Leinsamen: Nach neueren Untersuchungen kann der Paranußbaum die natürliche Radioaktivität des Bodens in seinen Früchten anreichern. Und Leinsamen können unter Umständen sehr viel Cadmium enthalten.

Wichtig: Nüsse und Samen sind sehr fetthaltig. Man kann sie deshalb in vielen Getreidemühlen nur mit einem Zusatzteil für Ölsaat zerkleinern. Und: Nüsse sind zwar nährstoff-, aber auch energiereiche Lebensmittel. Zum zusätzlichen Knabbern eignen sie sich deshalb nur in sehr kleinen Mengen.

Nußmus sollte wirklich nur aus Nüssen bestehen und keine weiteren Zusätze wie etwa Zucker enthalten. Am besten ist ein Mus, das bei der Herstellung nicht erhitzt wird. Das steht jedoch nicht unbedingt auf der Verpackung; nur Zusatzstoffe müssen angegeben werden.

Trockenfrüchte wie Pflaumen, Feigen, Äpfel, Korinthen und Rosinen sind ein natürliches Süßmittel, weil sie reichlich Fruchtzucker enthalten. Und weil sie viele Ballaststoffe liefern, sind sie auch gut für die Verdauung.

Trockenobst darf mit einer schwefeligen Säure konserviert und „geschönt" werden. Äpfel, Birnen und Aprikosen werden nämlich beim Trocknen dunkel und ziemlich unansehnlich. Die Schwefelung des Obstes verhindert das. Aber sie hat natürlich auch einen Haken: Manche Menschen reagieren darauf mit Kopfschmerzen und Übelkeit. Außerdem zerstört dieses Konservierungsmittel das Vitamin B_1 der Früchte.

Ungeschwefeltes Trockenobst bekommen Sie in Grünen Läden und Reformhäusern. Korinthen dürfen – anders als Rosinen – überhaupt nicht geschwefelt werden. Beachten Sie beim Kauf bitte grundsätzlich die Aufschrift der Verpackung: Auch wenn *nichts* vermerkt ist, darf das Obst geschwefelt sein. Nur wenn „ungeschwefelt" draufsteht, ist wirklich kein Schwefel verwendet worden.

1
2
3
4
5
6
7
8
9
10
11

Verschiedene Zutaten

1–5 Essig- und Ölsorten, 6 und 7 Gemüsebrühe, 8 und 9 Fruchtaufstriche, 10 Zimtstange und Vanilleschote, 11 Muskatnuß mit und ohne Samenhaut, Samenhaut (Mazis oder Muskatblüte), 12 Cayennepfeffer, (rote) getrocknete und frische Chilischoten, grüne Pfefferschote, grüne Pfefferkörner, 13 Salbei, 14 Basilikum, 15 Bockshornklee, 16 Bohnenkraut, Thymian, Oregano und Majoran, 17 Senfsamen, 18 Ingwerwurzel, 19 Ingwerpulver, 20 gemahlene Vanille, 21 schwarze und weiße Pfefferkörner, 22 Kardamomkapseln, 23 Kreuzkümmel, 24 Gelbwurz, 25 Zuckerrohrgranulat, 26 Koriander

Was Sie sonst noch kennenlernen sollten

Vielleicht gibt es in den Rezepten dieses Buches einige Lebensmittel, die Sie bisher noch nicht verwendet haben. Hier sind Informationen dazu – als Ergänzung zu den Abbildungen auf den vorigen Seiten.

Gemüsebrühe können Sie selbst kochen (siehe Seite 47) oder als Instant-Brühe in Grünen Läden und Reformhäusern kaufen. Zwar sind Instant-Brühen – ob aus Gemüse, Rindfleisch oder Geflügel – weder vollwertige noch natürliche Lebensmittel. Und auch die meisten Gemüsebrühen enthalten ziemlich viel Salz, manche auch Geschmacksverstärker. Trotzdem sollten Sie lieber Gemüsebrühe verwenden als Fleischbrühe. Denn Schadstoffe vom Fleisch sind auch in der Brühe enthalten. Und: Für die Herstellung von Brühen werden große Mengen an Fleisch und Geflügel benötigt – aus Massentierhaltung. Vielleicht haben Sie ja einen Naturkosthändler, der besonders bewußt einkauft; es gibt nämlich Gemüsebrühe, die wirklich nur aus Gemüse, Kräutern und Meersalz hergestellt wird.

Öl gewinnt man aus dem Fleisch (Oliven) oder den Samen (Sonnenblumen- oder Kürbiskerne) ölhaltiger Pflanzen. Am besten sind *kaltgepreßte,* naturbelassene Öle, weil sie bei der Pressung auf höchstens 50 Grad erhitzt werden. Dadurch bleiben Eigengeschmack und natürlicher Gehalt an wertvollen Fettsäuren und Vitaminen weitgehend unverändert. Diese Öle eignen sich für kalte Gerichte (Salate, Rohkost) und zum Garen bei kleiner bis mittlerer Hitze. Höher erhitzen können Sie naturbelassenes Oliven-, Erdnuß- oder Sesamöl, weil es einen hohen Anteil an einfach ungesättigten Fettsäuren hat. Wichtig: Zu stark erhitztes Öl beginnt zu rauchen. Sie sollten es dann nicht mehr verwenden.

Naturbelassenes Öl gibt es auch in kleinen Mengen zu kaufen. So können Sie nach und nach einige Sorten probieren und schließlich zwei oder drei wählen,

die Ihnen am besten schmecken. Hier nur ein paar Tips für den Anfang: Ziemlich neutral im Geschmack sind Sonnenblumen- und Rapsöl. Mehr Eigengeschmack haben Maiskeim- und Distelöl. Mit Hasel- und Walnußöl sollte man sehr sparsam umgehen, sonst schmeckt das Essen nach fast nichts anderem.
Gute *Fruchtaufstriche* sind die gesunde Alternative zu Marmelade und Konfitüre: sie bestehen aus verschiedenen Obstsorten, werden mit Trockenobst oder eingedicktem Apfelsaft gesüßt und enthalten keine Zusatzstoffe. Manchen Aufstrichen werden aber auch Zuckeraustauschstoffe (Sorbit), Zucker, Honig oder Ahornsirup zugesetzt. Das heißt, Sie nehmen mit dem Brotaufstrich unter Umständen eine ganze Menge Zucker zu sich, den Sie gar nicht essen wollen. Sehen Sie sich deshalb beim Kauf die Zutatenliste genau an.
Preiswert ist *Obstkraut* aus eingedicktem Apfel- und/oder Birnensaft. Zuckerzusatz ist erlaubt und muß nur auf der Verpackung angegeben sein, wenn er eine bestimmte Menge überschreitet. Manche Hersteller – vor allem von Natur- und Reformkost – deklarieren die Inhaltsstoffe jedoch freiwillig, so daß Sie genau wissen, ob Sie ein Kraut mit natürlichem Obstzuckergehalt gekauft haben. Diese Früchte stammen auch oft aus biologischem Anbau (steht ebenfalls auf dem Glas). Trotzdem bitte mit Obstkraut sparsam umgehen: es enthält reichlich Frucht- und Traubenzucker, leicht lösliche Kohlenhydrate also, und ist deshalb nicht „gesünder" als weißer Zucker. Außerdem kann es gar nicht so schonend hergestellt werden, daß man es noch als vollwertiges Lebensmittel bezeichnen könnte.
Zuckerrohrgranulat, auch Vollrohrzucker, Sucanat oder Ursüße genannt, besteht nur aus getrocknetem und zu Pulver vermahlenem Saft von Zuckerrohr. Brauner *Rohzucker* dagegen kann aus Zuckerrohr und Zuckerrüben gewonnen werden. Er ist ein Zwischenprodukt bei der Herstellung von weißem Zuk-

ker und liefert daher – wie dieser – überhaupt keine Nährstoffe, sondern nur Energie (= Kalorien). Das Granulat dagegen ist ein ziemlich reines Naturprodukt, weil es nicht raffiniert wird und noch Vitamine und Mineralstoffe enthält. Trotzdem sollten Sie es so sparsam wie möglich verwenden: In der chemischen Zusammensetzung sind Granulat und „normaler" Zucker nämlich gleich. Viel Granulat schadet also genauso wie viel Zucker. Ein „gesundes" Süßmittel gibt es leider nicht. Bei einer vernünftigen Ernährung kommt es daher darauf an, viel weniger zu süßen, als man es bisher vielleicht gewohnt war.

Gewürze spielten beim guten Essen schon immer eine große Rolle. Sie wirken nicht nur positiv auf die Geschmacksnerven, sondern tun auch etwas für das Wohlbefinden. So fördern Paprika und Cayennepfeffer den Speichelfluß: Wenn Ihnen das Wasser im Mund zusammenläuft, vertragen Sie Brot und Getreide besonders gut, weil die Verdauung von kohlenhydratreichen Lebensmitteln schon im Mund beginnt. Ingwer und Kreuzkümmel (Kumin oder Cumin) wirken ebenfalls positiv auf die Verdauung. Sie regen die Produktion von Gallenflüssigkeit und Magensaft an.

Kaufen Sie Gewürze möglichst unzerkleinert, damit sie Aroma und Wirkung lange behalten. Zum Mahlen von Gewürzen, zum Beispiel für eine Currymischung (siehe Seite 47), eignet sich am besten eine Kaffeemühle, die Sie natürlich nur für Gewürze verwenden sollten. Im Mörser ist das Zerkleinern ziemlich mühsam; harte Körner wie von Bockshornklee oder Senf kriegt man damit überhaupt nicht klein.

Gewürze, die Sie im Supermarkt nicht bekommen, gibt es in Reformhäusern, Grünen Läden, gut sortierten Feinkostgeschäften und in Apotheken.

Kräuter sind für die feine wie für die gesunde Küche gleichermaßen wichtig. Sie geben selbst einem Quarkbrot oder einem simplen Salat besondere Würze, helfen Salz sparen und erhöhen den

Frischkostanteil beim Essen. Wie Gewürze haben auch Kräuter ganz bestimmte Wirkungen: Basilikum regt den Appetit an, Bohnenkraut ist magenfreundlich, Thymian unterstützt die Fettverdauung, und Oregano fördert den Gallenfluß.
Ob Sie frische oder getrocknete Kräuter verwenden, hängt vom Kraut und von der Jahreszeit ab. Manche Kräuter (Basilikum, Schnittlauch und Petersilie zum Beispiel) schmecken getrocknet einfach nicht. Bei Estragon, Majoran, Bohnenkraut, Salbei und Oregano schadet Trocknen gar nicht; die Kräuter bekommen sogar noch mehr Aroma. Im Winter ist die Auswahl an guten, frischen Kräutern sehr gering: Schnittlauch, Dill und Petersilie bekommt man zwar rund ums Jahr. Nur: Die Kräuter schmecken oft nach nichts. Von recht guter Qualität ist meist Kresse, die Sie auch selbst keimen lassen können (siehe Seite 38). Schnittlauchpflanzen, die im Topf am Küchenfenster überwintern, entwickeln ein ziemlich kräftiges Aroma. Sonst nehmen Sie im Winter am besten tiefgefrorene Kräuter oder auch gefriergetrocknete in Gläsern.
Im Sommer dagegen sollten Sie Kräuter so oft wie möglich frisch verwenden. Wenn Sie einen Garten oder einen geräumigen Balkon haben, können Sie viele Kräuterpflanzen selbst ziehen: Petersilie, Basilikum, Thymian, Zitronenmelisse und Kapuzinerkresse gedeihen gut in größeren Blumentöpfen oder Balkonkästen. Welche Kräuter Sie nehmen, bleibt ganz Ihnen überlassen. In den Rezepten werden zwar immer eine oder mehrere bestimmte Sorten genannt; betrachten Sie das aber bitte nur als Vorschlag. Frischkost und damit auch Vitamine und Mineralstoffe bekommen Sie mit jedem Kraut. Verwenden Sie, was Ihnen am besten schmeckt.

1
2
3
4

Sprossen
1 Rettich, 2 Alfalfa, 3 Mungobohnen, 4 Linsen, 5 Weizen, 6 Senf, 7 Kichererbsen

Sprossen – Frischkost aus der Tüte

Sprossen können Sie kaufen: Das ganze Jahr über gibt es Soja-, inzwischen auch gemischte Sprossen in Reformhäusern, Grünen Läden und in einer Reihe von Supermärkten. Wer Spaß an selbstgezogenen Sprossen hat, läßt Samen ein paar Tage auf der Fensterbank keimen. Alle Sprossen – ob gekauft oder selbstgekeimt – sind rundum gesund: nährstoffreich und energiearm, dazu von Schadstoffen nahezu unbelastet – was sogar bei biologisch angebautem Gemüse und Salat aufgrund der Belastung von Luft und Wasser gar nicht der Fall sein kann. Vor allem im Winter, wenn Frischgemüse rar ist und Sie etwas Abwechslung in die Rohkost bringen wollen, sind Sprossen nicht nur eine vernünftige, sondern auch preiswerte Alternative zu Import- oder Treibhausware. Gewiß: Manche Samen scheinen auf den ersten Blick im Naturkost- und Reformwarenhandel ziemlich teuer. Aber sie nehmen beim Keimen ja um mehr als das Doppelte zu, was eine ganze Menge Frischkost ergibt. Sehr wichtig beim Kauf: Wählen Sie bevorzugt Samen aus biologischem Anbau. Samen zum Keimen gibt es inzwischen auch in manchen Gartencentern. Doch sehen Sie sich bitte die Verpackung genau an: Es muß *ausdrücklich vermerkt* sein, ob sich die Samen zum Keimen von Sprossen eignen. Wenn das nicht draufsteht, sind sie zur Aussaat in die Erde bestimmt und vermutlich chemisch behandelt!

Beim Keimen verändern sich die Inhaltsstoffe der Sprossen: Der Vitamin- und Mineralstoffgehalt nimmt stark zu, die Kalorien dagegen schwinden. Nach und nach bilden sich schwer lösliche Kohlenhydrate; Sprossen machen dem Körper bei der Verdauung also ähnlich viel „Arbeit“ wie Getreide und Hülsenfrüchte. Zum Keimen eignen sich alle Getreidesorten außer Grünkern, Hirse und Reis.

Ebenfalls günstig zum Keimen sind alle Hülsenfrüchte, außerdem Alfalfa (Luzerne), Sonnenblu-

men- und Kürbiskerne, Rettich und Bockshornklee. Buchweizen, Kresse und Senf sondern beim Keimen Schleimstoffe ab; man läßt sie deshalb am besten auf Küchenpapier wachsen, damit die Samen nicht so stark zusammenkleben.
Alle anderen Samen kommen in (Weck-)Gläser, und zwar höchstens fingerhoch, sonst kriegen sie beim Keimen nicht genügend Sauerstoff. Die Gläser am besten mit einem Stückchen Verbandmull und einem festsitzenden Gummiband verschließen. Bitte auf keinen Fall Klarsicht- oder Alufolie nehmen: Die Samen bekommen auch dann zu wenig Luft und beginnen zu schimmeln.
Die vorbereiteten Gläser nun mit Wasser füllen und die Samen etwa sechs Stunden stehenlassen. In dieser Zeit nehmen sie so viel Flüssigkeit auf, daß der Wachstumsprozeß beginnt. Die gequollenen Samen abgießen, die Gläser im Spülbecken umstülpen und leicht geneigt so stehenlassen, bis das Wasser ganz abgelaufen ist. Anschließend aufrecht an einen nicht sonnigen, aber warmen und hellen Platz (nur Mungobohnen sollten dunkler keimen) stellen und bis zu fünf Tagen keimen lassen. Dabei jeden Tag die Gläser für etwa zehn Minuten mit warmem Wasser füllen, damit sich die Samen vollsaugen können, dann das Wasser wieder ganz abgießen.
Bei dieser Methode können Sie ziemlich sicher sein, daß die Samen weder zu trocken noch zu feucht sind, also gut keimen, ohne zu schimmeln. Senf und Weizen bilden beim Keimen feine Faserwürzelchen, die an Schimmel erinnern, tatsächlich aber ganz harmlos sind. Machen Sie einfach jeden Tag die Geruchsprobe: Schimmelige Sprossen riechen muffig und müssen natürlich weggeworfen werden.

Wann Obst und Gemüse am besten schmecken

Gemüse und Obst schmecken nur dann wirklich gut, wenn sie unter möglichst natürlichen Bedingungen wachsen und reifen können, wenn sie keine langen Transportwege überstehen müssen und frisch auf den Markt kommen. Das ist natürlich der Idealfall. Nicht jeder kann beim Gärtner biologisch gezogene Freilandtomaten direkt vom Stock kaufen. Seit langem beschert uns die Agrarindustrie so ziemlich jede Gemüse- und Obstsorte rund ums Jahr – mit dem „Erfolg", daß zwar alles schön aussieht, aber sehr viel weniger gut schmeckt. Kaufen Sie lieber nach Jahreszeiten: Was gerade Saison hat, schmeckt am besten und ist oft auch recht preisgünstig.
Hier sind Gemüse und Obst nach Jahreszeiten zusammengestellt und nach Monaten geordnet: Frühlingsgemüse zum Beispiel, das an erster Stelle steht, kommt schon im April auf den Markt, das zuletzt aufgeführte bekommen Sie erst im Juni.

Im Frühling (April bis Juni):
Brunnenkresse, Chicorée, Eisbergsalat, Feldsalat, Fenchel, Kerbel, Knollen- und Staudensellerie, Lauchzwiebeln, Löwenzahn, Mangold (Krautstiel), Radieschen, Radicchio, Rettich, Rhabarber, Spargel; Erdbeeren, Mairüben, Möhren, Porree, Salatgurken, Spinat, Spitzkohl, Zuckerschoten; Brokkoli, Eisbergsalat, frische Erbsen, Kohlrabi, Kopfsalat, Pflaumen, Stachelbeeren, Süßkirchen.

Im Sommer (Juli bis September):
Aprikosen, Auberginen, Blumenkohl, Bohnen, Brokkoli, Eisbergsalat, Erdbeeren, frische Erbsen, Fenchel, Himbeeren, Johannisbeeren, Kohlrabi, Kopfsalat, Mangold (Krautstiel und Schnittmangold), Möhren, Nektarinen, Paprikaschoten, Pfirsiche, Pflaumen, Porree, rote Bete, Rotkohl, Sauer- und Süßkirschen, Spinat, Weißkohl, Wirsing, Tomaten,

Zuckermais; Frühäpfel, Artischocken, Birnen, Brombeeren, kleine Gurken zum Schmoren und Einlegen, Endivien- und Friséesalat, Knollensellerie, Melonen, Reineclauden, Stachelbeeren; Chinakohl, Gemüsezwiebeln, Herbstrüben, Paksoi, Quitten, Radicchio, Rettich, Schwarzwurzeln, Weintrauben, Zwetschen.

Im Herbst (Oktober und November):
Ananas, Äpfel, Artischocken, Birnen, Blumenkohl, Brokkoli, Brunnenkresse, Chinakohl, Eisberg-, Endivien-, Feld- und Friséesalat, Fenchel, Gemüsezwiebeln, Knollen- und Staudensellerie, Kohlrabi, Kürbis, Möhren, Paksoi, Porree, Quitten, Radicchio, Rettich, Rosenkohl, rote Bete, Schwarzwurzeln, Spinat, Weißkohl, Wirsing, Rotkohl, Weintrauben, Zwetschen.

Im Winter (Dezember bis März):
Ananas, Äpfel, Birnen, Brunnenkresse, Chicorée, Feldsalat, Fenchel, Grünkohl, Knollen- und Staudensellerie, Kürbis, Mandarinen, Möhren, Orangen, Porree, Radicchio, Rettich, Rosenkohl, rote Bete, Rotkohl, Schwarzwurzeln, Spinat, Weißkohl, Wirsing; Löwenzahn.

Das ganze Jahr über gibt es in guter Qualität: einige Sorten Importäpfel, Bananen, Kartoffeln, Kiwi, Zitronen, Zucchini, Zwiebeln.

Der Vorrat für den Anfang

Vielleicht essen Sie schon längere Zeit vollwertig und haben deshalb Körner und Hülsenfrüchte, Flocken und Vollkornnudeln im Haus. Wenn Sie dagegen erst anfangen, vollwertig zu essen, sollten Sie sich einen *kleinen* Vorrat an Grundlebensmitteln zulegen. Getreide kann man in vielen Reformhäusern und Grünen Läden abwiegen lassen. Bei den anderen Lebensmitteln stehen auf der folgenden Liste jeweils die Mengen, in denen sie abgepackt verkauft werden.

Für eine Person reichen als Vorrat:
250 g Getreidekörner wie Weizen, Roggen *oder* Hafer für Hauptmahlzeiten und Müsli
500 g Reis *oder* Hirse
500 g Getreide als Beilage wie Bulgur *oder* Thermo-Weizengrütze
250 g Vollkornnudeln
400 g Getreideflocken *oder* Knusperflocken
500 g getrocknete Hülsenfrüchte *oder* 2 Dosen Hülsenfrüchte (jeweils 400 g Füllmenge)
2 Dosen Tomaten (jeweils 400 g Füllmenge)
1 Päckchen *oder* 1 Glas Instant-Gemüsebrühe
2 Sorten kaltgepreßtes Öl (je etwa 0,25 l)
2 Pakete Tiefkühlgemüse
2 Pakete (ungezuckertes) Tiefkühlobst
2 Päckchen Tiefkühlkräuter.

In diesem Buch finden Sie keine Einkaufsliste für die ganze Woche. Das hat zwei Gründe: Erstens gibt es bei der Vollwertdiät reichlich Obst und Gemüse. Die sollten immer so frisch wie möglich sein – es sei denn, Sie verwenden Tiefgekühltes. Zweitens hat die kleine Mühe, die Sie aufwenden müssen, um Ihre Einkaufsliste selbst zusammenzustellen, einen sehr nützlichen Effekt: Ihnen wird nach und nach bewußt, was Sie an Lebensmitteln brauchen, um sich

gesund und wohl zu fühlen. Sie werden lernen, daß für Ihre Diät die Menge klein, die Vielfalt aber groß sein soll.
Kaufen Sie nie zuviel auf einmal. Denn Sie wissen ja: Wer hortet, wird leichter schwach. Und zwei zusätzlich gegessene Äpfel, eine Handvoll Nüsse oder zwei Scheiben Brot mehr täglich schlagen zu Buche.
In manchen Rezepten werden Gemüsereste vorausgesetzt. Nehmen Sie dann, was Sie noch im Vorrat haben. Denn da Sie zum Beispiel keine 100 Gramm Blumenkohl kaufen können, bleibt immer wieder mal etwas übrig, das Sie dann gemischt für ein Gericht verwenden können.
Das gilt auch, wenn als Zutat „Blattsalat" genannt ist: Brauchen Sie auf, was Sie noch an Kopf-, Eisberg-, Endivien-, Frisée-, Eichblatt- oder Römischem Salat übrig haben. Blattsalate wie Feldsalat, Radicchio, Chicorée, Löwenzahn, Spinat, Mangold oder Paksoi können Sie übrigens auch in kleinen Mengen kaufen.
Noch ein Wort zu den Geräten, die Sie brauchen: Wirklich wichtig ist nur eine Mühle zum Mahlen und Schroten von Getreide. Für kleine Mengen reicht eine Handmühle. Fragen Sie am besten im Haushaltswarengeschäft, Reformhaus oder in Grünen Läden danach. Alle anderen Geräte wie zum Beispiel Keimbox für Sprossen, Tofupresse oder Joghurtbereiter sind nur notwendig, wenn Sie eine große Familie zu versorgen haben und/oder Produkte – die man in guter Qualität kaufen kann – lieber selbst machen. Wenn Sie Ihre Mittagsmahlzeit mit ins Büro nehmen wollen, brauchen Sie dafür gut schließende (Tiefkühl-)Dosen.

Wo bekommen Sie, was Sie für die Vollwert-Diät brauchen?

Es ist nicht notwendig, nur im Grünen Laden oder Reformhaus zu kaufen. Milchprodukte, Käse und Butter, Hülsenfrüchte, Honig und Brot bekommen Sie auch im Supermarkt. Getreide und Vollkornprodukte, Nüsse, Trockenobst und Öl sollten Sie dagegen so oft wie möglich im Grünen Laden oder Reformhaus kaufen. Dort gibt es nämlich Lebensmittel von Erzeugerorganisationen, die schadstoffarme Naturkost liefern: Auf Qualitätszeichen wie Demeter, biodyn, ANOG, Naturland, Bioland, Biokreis Ostbayern und neuform können Sie sich wirklich verlassen. Außerdem arbeiten in Grünen Läden und Reformhäusern meist Leute, die Bescheid wissen und Begriffe wie „biologisch angebaut" und „artgerechte Tierhaltung" nicht nur als werbewirksame Modewörter betrachten. Vielleicht können Sie auch Eier und Fleisch bei einem Bio-Bauern und/oder -Metzger kaufen: Adressen finden Sie im „Alternativen Branchenbuch", das es im Buchhandel gibt. Alle diese Produkte sind oft etwas teurer. Aber wir werden lernen müssen, daß auch bei Lebensmitteln Qualität seinen Preis hat. Und wir sollten durch gezieltes Einkaufen die inhumane „Tierproduktion" und die Ausbeutung des Bodens boykottieren. Das wird langfristig der Qualität des Angebots – und der Umwelt – zugute kommen.

Wichtig ist, daß Sie sich bei abgepackten Lebensmitteln – im Supermarkt und im Naturkosthandel – die Zutatenliste genau ansehen: Was drin ist, muß in der Reihenfolge der Gewichtsmenge genannt werden; die Hauptzutat steht also am Anfang. Wo zum Beispiel zu viele Geschmacksverstärker, Aromastoffe, Konservierungsmittel aufgelistet sind, die oft gar nicht beim Namen genannt, sondern mit einer „E-Nummer" verschlüsselt werden –, das lassen Sie bes-

ser liegen. Vollwertig essen heißt ja vor allem, möglichst viele frische, unbearbeitete Lebensmittel zu wählen.
Bei den Tagesplänen (ab Seite 50) sind jeweils alle Lebensmittel zusammengefaßt, die Sie für diesen Tag brauchen. Und zwar in folgender Reihenfolge:
Zuerst kommt alles, was Sie im Supermarkt kriegen, dann das, was Sie im Grünen Laden oder Reformhaus kaufen sollten. Am Schluß stehen Gemüse, Kräuter und Obst, die Sie am besten jeden zweiten Tag frisch (beim Gemüsehändler) holen. Ganz unten finden Sie Zutaten wie Essig, Senf und Gewürze, die Sie im Vorrat haben.
Alle nicht ganz so geläufigen Zutaten sind im Register (Seite 190) aufgelistet, so daß Sie nachschlagen können, wenn Sie sich noch einmal genau informieren möchten.

Getreide und Hülsenfrüchte garen

Bei Getreide und Hülsenfrüchten können Sie in jedem Rezept wählen, was Sie am liebsten mögen; die Sorte spielt weder für Energie- noch Nährstoffmenge eine Rolle. Fast alle Sorten müssen nicht nur ausreichend garen, sondern auch quellen, damit sie gut verdaulich sind. Am besten für abends also gleich morgens in der doppelten Menge Flüssigkeit (siehe auch Seite 107) einweichen. Hier die Garzeiten:

Vorgeweichtes Getreide:
– Roggen: 1½ Stunden
– Weizen, Dinkel, Hafer, Gerste: 1 Stunde
– Grünkern: 40 Minuten

Getreide, das nicht quellen muß:
– Hirse: 30 bis 40 Minuten
– Naturreis: 30 Minuten bis 1 Stunde
– Parboiled Reis, Bulgur, Buchweizen: 20 bis 30 Minuten

Vorgeweichte Hülsenfrüchte:
alle getrockneten Bohnen, Kichererbsen, ungeschälte grüne und gelbe Erbsen: 1½ bis 2 Stunden

Hülsenfrüchte, die nicht quellen müssen:
geschälte grüne und gelbe Erbsen: 1½ Stunden
frische Dicke Bohnen: 45 Minuten
tiefgekühlte Dicke Bohnen: nach dem Auftauen 20 Minuten
braune Linsen: 45 Minuten bis 1 Stunde
schwarze (Puy-)Linsen: 40 Minuten bis 1 Stunde
rote (geschälte) Linsen: 20 Minuten

Wenn es schneller gehen soll, garen Sie die Getreidekörner und Hülsenfrüchte auf Vorrat und frieren sie portionsweise ein. Vorgegarte Hülsenfrüchte von guter Qualität gibt es auch in Dosen.

Gemüsebrühe kochen

Statt der in den Rezepten angegebenen Instant-Gemüsebrühe können Sie natürlich immer auch selbstgekochte Gemüsebrühe verwenden. Die können Sie – wie Fleisch- und Geflügelbrühen – auf Vorrat kochen und portionsweise einfrieren. Für knapp eineinhalb Liter Brühe brauchen Sie 500 Gramm Staudensellerie, eine große Fenchelknolle, 300 Gramm Möhren, 250 Gramm Porree, je eine Petersilienwurzel, Zwiebel und Knoblauchzehe. Alle Zutaten putzen und/oder schälen, fein zerkleinern und mit einem Bund Petersilie, einem Lorbeerblatt, einigen Wacholderbeeren, weißen Pfefferkörnern und Thymian in einen Topf geben. Eineinhalb Liter Wasser zugießen, aufkochen und zugedeckt bei kleiner Hitze 30 Minuten garen. Durch ein Sieb gießen, Gemüse gut ausdrücken und wegwerfen. Brühe nach dem Auskühlen einfrieren. Im Kühlschrank hält sich Gemüsebrühe in einem festverschlossenen Gefäß höchstens drei Tage.

Currypulver selber mischen

Currypulver gibt es fertig zu kaufen: Achten Sie auf Qualität, auch wenn sie etwas mehr kostet.
Selbstgemischt ist das Pulver natürlich besonders aromatisch – und Sie können die Gewürze auch einzeln verwenden. Zum Abmessen nehmen Sie am besten einen Teelöffel: Gelbwurz, Kreuzkümmel und gemahlenen Koriander zu gleichen Teilen mischen. Dazu jeweils die Hälfte der Menge an Ingwer- und Zimtpulver sowie eine kräftige Prise geriebene Muskatnuß und Cayennepfeffer. Mit Bockshornkleesamen, Senfkörnern und ein oder zwei Kardamomkapseln in Öl mit gehackter Zwiebel (und Knoblauch) anbraten. Dann die anderen Zutaten zugeben.
Die Gewürze bekommen Sie in Reformhäusern, Geschäften für asiatische Lebensmittel, vielen Naturkostläden und in Apotheken.

Den Körper auf die Diät vorbereiten

Am besten klappt es mit dem Diäthalten, wenn Sie Ihren Körper darauf vorbereiten. Auch dann, wenn Sie nicht mit den Tagesplänen beginnen, sondern sich gleich die Rezepte (ab Seite 126) zusammenstellen wollen. Nehmen Sie sich dafür ein ganzes Wochenende Zeit: den Samstag zum Entlasten und Entschlacken, den Sonntag zum Einstimmen auf die Ihnen vielleicht neue Art des Essens.
Wenn Sie sich dann am Montag auf die Waage stellen, zeigt sie vermutlich ein Pfund weniger an. Das hängt mit dem Wasserverlust zusammen, wodurch auch Stoffwechselschlacken und Giftstoffe aus dem Körper geschwemmt worden sind.

Für Samstag und Sonntag brauchen Sie:
– Glaubersalz aus der Apotheke
– Mineralwasser, Früchte- und Kräutertee, nach Wunsch einen Liter Gemüsesaft (ohne Salz)
1 Zitrone

Für Sonntag brauchen Sie:
– 1/4 l Milch, 200 g Dickmilch, 150 g Joghurt, saure Sahne, 1 Ei
– 1 Banane, 1 Apfel, 200 g Kartoffeln, frische oder tiefgefrorene Kräuter wie Schnittlauch, Dill oder Petersilie
– Weizenkörner, Getreideflocken, Nußkerne.
Damit Sie sich am Wochenende wirklich ausruhen können, sollten Sie alles schon am Freitag besorgen und auch gleich die Zutaten für Montag, Ihren ersten Diättag, einkaufen (siehe Seite 54).
Gut zum Entschlacken ist eine gründliche Darmentleerung: Am *Samstag* nach dem Aufwachen 40 Gramm Glaubersalz in 3/4 Liter warmem Wasser auflösen. Einen kräftigen Schuß Zitronensaft zugeben und diese Mischung innerhalb einer Stunde schluckweise trinken. Die Wirkung hält vermutlich den gan-

zen Tag über an; deshalb besser zu Hause bleiben. Vielleicht fühlen Sie sich auch ein wenig schwach. Nutzen Sie den Tag zum Schlafen, Lesen, Faulenzen. Auf jeden Fall: entspannen Sie sich.
Zu essen gibt es an diesem Samstag nichts, dafür reichlich zu trinken: drei Liter Flüssigkeit über den ganzen Tag verteilt. Am besten sind Mineralwasser, Früchte- und Kräutertee. Vorsicht mit Pfefferminztee: Bei empfindlichen Menschen kann der Magen streiken. Wenn Sie mögen, trinken Sie zusätzlich einen halben Liter Gemüsesaft. Auch ein bis zwei Tassen Kaffee oder schwarzer Tee schaden nicht. Milch oder Sahne sollten Sie heute jedoch weglassen. Zucker, Alkohol und Zigaretten sind – leider – verboten.

Am *Sonntag* ebenfalls so reichlich wie am Samstag trinken. Ihr Speiseplan sieht so aus:
– *morgens* Kaffee oder schwarzen Tee mit Milch;
– *mittags* Banane und Apfel zerkleinern, mit Dickmilch, 30 Gramm Getreideflocken und fünf gehackten Nußkernen mischen;
– *abends* Kartoffeln mit der Schale und das Ei hart kochen. Gehacktes Ei mit zwei Eßlöffeln saurer Sahne, Salz, Pfeffer und reichlich gehackten Kräutern vermischen. Zu den Kartoffeln essen.
Zwischen den Mahlzeiten – wie gesagt – viel trinken. Heute sollten Sie auch einen langen Spaziergang machen, damit der Stoffwechsel richtig in Gang kommt. Falls Sie ab morgen nach den Tagesplänen Diät machen, heute vor dem Schlafengehen das Frühstück vorbereiten: einen Eßlöffel Weizenkörner grob schroten, mit dem Joghurt vermischen und zugedeckt in den Kühlschrank stellen.

Vier Diätwochen nach genauen Tagesplänen

Vier Wochen lang köstlich essen, dabei abnehmen und eine Menge über gesunde Ernährung erfahren – dazu werden Ihnen die folgenden 28 Tagespläne verhelfen. Die Gewichtsabnahme geht langsam, aber stetig – wie von Diätforschern empfohlen: Nach 28 Tagen bringen Sie zwischen vier und sechs Kilo weniger auf die Waage. Damit die Umstellung Ihrer Ernährung reibungslos klappt und Sie Ihren Nahrungsbedarf genau kennenlernen, sollten Sie sich vier Wochen lang wirklich exakt an diese Tagespläne halten. Und nach dem ersten Durchgang am besten wieder von vorn anfangen. Selbstverständlich können Sie, solange Sie wollen, nach diesen Plänen essen, denn der Organismus bekommt alles, was er an Nähr- und Ballaststoffen braucht.

Wenn Sie sich – so „geschult" – auskennen mit der Vollwertdiät, können Sie mit den Rezepten (ab Seite 126) Ihre Speisepläne selbst zusammenstellen und entscheiden, wie viele Kalorien Sie täglich essen wollen. Innerhalb jedes Tages verteilen Sie die Mahlzeiten so, wie es Ihren Bedürfnissen entspricht: Wenn Sie frühmorgens noch nichts essen mögen, verschieben Sie das Frühstück auf den Vormittag. Die erste Zwischenmahlzeit können Sie ja dann aufheben: Vielleicht schmeckt sie Ihnen eine Stunde nach dem Mittagessen, oder Sie wollen kurz vor dem Schlafengehen noch etwas essen.

Mittags gibt es immer ein kaltes Gericht fürs Büro, das sich schon zu Hause gut vorbereiten läßt: Planen Sie dafür morgens ein wenig Zeit ein. Zwar verliert bereits geschnittenes Gemüse und Obst auch in fest verschlossenen Gefäßen an Vitaminen; aber Ihre vollwertige Diätmahlzeit ist allemal gesünder als das meiste, was Sie auf die schnelle kaufen können.

Wenn Sie eine (Tee-)Küche zur Verfügung haben, um so besser: Dann können Sie Ihr Mittagessen auch ganz schnell frisch zubereiten. Und natürlich können

Sie die Mittags- und Abendmahlzeit tauschen, wenn Sie mittags reichlich Zeit haben und abends nicht lange in der Küche sein wollen.
Ganze Tage sollten Sie möglichst nicht austauschen, denn die Pläne sind nach zwei Grundsätzen der Vollwertkost zusammengestellt: Abwechslung beim Essen und so viele Nährstoffe wie möglich. Das wurde auch bei der Wochenplanung berücksichtigt.
Auf Ihren Energiebedarf müssen Sie selbst ein wenig achten. Niemand kann Ihnen verbindlich sagen, wieviel Sie essen müssen, um sich wohl zu fühlen. Auch hier gibt es – wie beim Normalgewicht – nur einen Richtwert.
Die Tagespläne liefern Ihnen 1300 Kalorien. Im Test hat sich gezeigt, daß diese Nahrungsmenge für die meisten Menschen gerade richtig ist zum Abnehmen ohne Hunger. Vielleicht ist es Ihnen aber auch zuviel. Essen Sie dann eine Kartoffel weniger, schroten Sie fürs Müsli nur einen Eßlöffel Getreide, oder nehmen Sie etwas weniger Obst, Gemüse, Reis. Sparen Sie aber bitte nicht angebliche „Dickmacher" wie Butter, Sahne oder auch Nudeln ein. Von Gemüse allein wird man nämlich nicht satt. Lassen Sie auch keine Zwischenmahlzeit aus, und verzichten Sie nicht auf den Salat beim warmen Hauptgericht. Also: Mengen verringern, aber nichts ganz weglassen, sonst stimmen die Nährstoffe nicht mehr. Das kann zu Unzufriedenheit führen, die Sie vielleicht mit kleinen „Belohnungen" in Form von Kalorien unterdrücken.
Manche von Ihnen spüren vielleicht doch Hunger – sei es, weil Sie groß und kräftig sind, sei es, weil Sie körperlich sehr angestrengt oder seelisch stark angespannt sind. In diesem Fall stocken Sie ruhig etwas auf: mit mehr Rohkost oder Salat beim Hauptgericht, einem Eßlöffel Getreideflocken oder einer Scheibe Vollkornbrot zusätzlich. Also: ballaststoffreiche Lebensmittel wählen, die auch Nährstoffe liefern. Denken Sie bitte immer dran: Diäthalten ist gut, Hungern schlecht.

Erste Woche

Schrotmüsli mit Obst, Gemüsenudeln (Rezepte Seite 54)

1. Tag Montag

(Foto Seite 52/53)

Das brauchen Sie heute:

150 g Joghurt, 2 Eßl. Milch, 1 Eßl. Sahne, 1 Teel. geriebenen Käse, 1 Scheibe Vollkornbrot, 50 g Vollkornnudeln, 20 g Sonnenblumenkerne, 10 Haselnußkerne, 1 Eßl. kaltgepreßtes Öl, 1 großen Apfel, 1 Kiwi, 100 g frische Ananas, 2 Tomaten, 1/2 Avocado, 1 Zucchino, 3 Champignons, 50 g Feldsalat, 1 Zwiebel, Schnittlauch, Petersilie, Zitronensaft, Essig, Senf, Salz, Pfeffer

morgens Schrotmüsli mit Obst

Eingeweichtes Schrot vom Vorabend (siehe Seite 49) mit gründlich gewaschenem oder geschältem, zerkleinertem Apfel, den Sonnenblumenkernen und der Milch vermischen.

vormittags Kiwi und Haselnußkerne

mittags Avocadocreme

Eine Tomate würfeln, Avocado halbieren, eine Hälfte für morgen aufbewahren (siehe Kasten), die andere schälen und zerdrücken. Mit Zitronensaft, Tomate, Schnittlauchröllchen, Salz und Pfeffer vermischen. Dazu eine Scheibe Vollkornbrot.

nachmittags Ananasjoghurt

Ananas in Stücke schneiden und mit Joghurt vermischen.

abends Gemüsenudeln und Feldsalat

Feldsalat mehrmals waschen, trockenschwenken und in eine Schüssel geben. Salatsoße aus Essig, Senf, Schnittlauchröllchen, Salz, Pfeffer aus der Mühle und einem halben Eßlöffel Öl rühren. Über den Salat gießen, aber erst mischen, wenn die Nudeln fertig sind.

Nudeln in Salzwasser bißfest garen. Währenddessen Zucchino putzen, waschen und in Stifte schneiden. Tomate würfeln, abgezogene Zwiebel hacken. Champignons putzen, kurz waschen und in Scheiben schneiden. Alle Gemüse in einem halben Eßlöffel Öl unter Rühren etwa fünf Minuten braten, bis der Zucchino gerade eben weich ist. Sahne und Käse untermischen. Mit Salz und Pfeffer abschmecken, mit Schnittlauchröllchen, gehackter Petersilie und abgetropften Nudeln mischen. Auf einem vorgewärmten Teller anrichten. Salat jetzt durchmischen und dazu servieren.

Avocado kaufen und aufbewahren

Avocados werden unreif gepflückt, damit sie den Transport heil überstehen. Reife Avocados erkennen Sie durch leichten Fingerdruck: Wenn das Fruchtfleisch unter der Schale etwa so nachgibt wie bei einer gelben (nicht noch grünen) Banane, ist die Avocado richtig zum Essen; sehr weiche Früchte sind innen meist schon braun und matschig. Unreife Früchte in Zeitungspapier wickeln und bei Zimmertemperatur nachreifen lassen, reife Avocados im Kühlschrank aufbewahren.
Zum Halbieren schneiden Sie die Avocado am besten der Länge nach rundum bis zum Kern ein. Durch vorsichtiges Drehen lösen sich die Hälften voneinander, wobei der Kern gewöhnlich in einer Hälfte steckenbleibt. Das Fruchtfleisch *mit* Kern verfärbt sich nicht so rasch; deshalb sollten Sie diese Hälfte auch – in Klarsichtfolie gewickelt – im Kühlschrank aufbewahren und die andere zuerst verbrauchen.

2. Tag Dienstag

Das brauchen Sie heute:

1/8 l Milch, 1 Eßl. saure Sahne, 1 Ei, 10 g Butter, 1 Scheibe Vollkornbrot, 1 Scheibe Knäckebrot, 25 g Linsen, 25 g Naturreis, 20 g Getreideflocken, 10 g Sonnenblumenkerne, 30 g Korinthen, 1/2 Eßl. kaltgepreßtes Öl, Instant-Gemüsebrühe, 350 g frische Ananas, 250 g Salatgurke, 1/2 Avocado, 1 Zwiebel, 1–2 Knoblauchzehen, 1 Kästchen Kresse, Petersilie, Zitronensaft, 1–2 Teel. Gewürzmischung, Salz, Pfeffer

morgens Butterbrot mit Ei und Gurke

Ei weich kochen. Vollkornbrot mit Butter bestreichen und mit geschälten Gurkenscheiben belegen. Ei und Brot nach Wunsch mit Salz und Pfeffer würzen.

vormittags Avocado

Die aufbewahrte Avocadohälfte von gestern mit Zitronensaft beträufeln, mit Salz und Pfeffer bestreuen. Dazu eine Scheibe Knäckebrot.

mittags Flockenmüsli mit Korinthen

Korinthen und Sonnenblumenkerne in einen Teller geben, mit Milch übergießen und mit Flocken bestreuen.

nachmittags 200 Gramm Ananasstückchen

abends Ananascurry und Linsenreis, Gurkensalat mit Kresse

Linsen und Reis mit einem Achtelliter Wasser und einem halben Teelöffel Instant-Gemüsebrühe aufkochen und zugedeckt in etwa 45 Minuten weich garen.
Etwa zehn Minuten vor Ende der Garzeit das Curry zubereiten: Die Gewürzmischung (siehe Seite 47) in knapp einem halben Eßlöffel Öl unter Rühren einige Sekunden rösten. Gehackte Zwiebel und Knoblauch, restliche Ananasstücke und zwei bis drei Eßlöffel Wasser zugeben. Etwa drei Minuten schmoren, dabei häufig umrühren. Von der Kochstelle nehmen und reichlich gehackte Petersilie untermischen. Mit Zitronensaft abschmecken.
Für den Salat Rest der Gurke schälen und raspeln. Mit saurer Sahne, Salz, Pfeffer, einem Tropfen Öl und

nach Wunsch auch feingehacktem Knoblauch mischen. Kresse über den Salat streuen.
Ananascurry und Linsenreis auf einem vorgewärmten Teller anrichten und den Salat dazu servieren.

Ananas vorbereiten und aufbewahren

Die Ananas vom Stielansatz (der meist schon gekappt ist) zum Blattansatz hin in Scheiben schneiden und nur schälen: Den inneren, härteren Kern sollten Sie mitverwenden. Er schmeckt ebensogut wie das äußere Fruchtfleisch und enthält reichlich Ballaststoffe. Eine angeschnittene Ananas hält sich – kühl gelagert – etwa eine Woche frisch: Die Frucht mit der Schnittfläche nach unten auf einen Teller legen und im Kühlschrank aufbewahren.

3. Tag Mittwoch

Das brauchen Sie heute:
100 g körnigen Frischkäse, 2 Eßl. Crème fraîche, 1 Eßl. Schlagsahne, 2 Scheiben Vollkornbrot, 1 Scheibe Knäkkebrot, 100 g Krabben, 1 Eßl. Sojasoße, 100 g Tofu, 20 g Sonnenblumenkerne, 1 Eßl. kaltgepreßtes Öl, 1 Orange, 1 Banane, 350 g Spinat (ersatzweise Mangold oder 1 Strunk Grünkohl), 150 g Rettich, 100 g Salatgurke, 2 Tomaten, Schnittlauch, Dill, Zitronensaft, Salz, Pfeffer

morgens Frischkäse mit Tomate
Frischkäse mit einer gewürfelten Tomate, Schnittlauchröllchen, Salz und Pfeffer mischen. Dazu eine Scheibe Vollkornbrot.

vormittags Eine Orange

mittags Krabbenbrot
Die Hälfte der Salatgurke schälen, in Scheiben schneiden und auf das Vollkornbrot legen. Krabben mit Zitronensaft, Dill, Salz, Pfeffer und einem Eßlöffel Crème fraîche mischen und auf den Gurken verteilen.

nachmittags Eine Banane

abends Tofuschnitzel mit Tomatengemüse und Salat
Tofuscheiben mit Sojasoße beträufeln, mit Pfeffer würzen und im fein zerkrümelten Knäckebrot wenden. Einen Eßlöffel Öl in einer Pfanne erhitzen, Tofu darin auf jeder Seite etwa zwei Minuten braten. Auf einem Teller warm halten. Gewaschenen Spinat und gewürfelte Tomate in der Pfanne unter Rühren heiß werden lassen. Crème fraîche untermischen. Gemüse mit Salz und Pfeffer würzen, Sonnenblumenkerne darüberstreuen.
Für den Salat Rettich und Gurke schälen und raspeln. Mit Schnittlauchröllchen, Sahne, Salz und Pfeffer mischen.

Tip
Marinierte Gemüse für morgen mittag (Rezept Seite 60) können Sie heute schon zubereiten und zugedeckt im Kühlschrank aufbewahren.

Tofuschnitzel mit Tomatengemüse und Salat

4. Tag Donnerstag

Das brauchen Sie heute:
100 g Magerquark, 75 g Joghurt, 1 Eßl. körnigen Frischkäse, 1 Eßl. Crème fraîche, 1 Eßl. saure Sahne, 1 Eßl. Schlagsahne, 10 g Butter, 1 Scheibe Vollkornbrot, 2 Scheiben Knäckebrot, 10 g Weizenvollkornmehl, 10 g Korinthen, 3 Haselnußkerne, $1^1/_2$ Eßl. kaltgepreßtes Öl, Instant-Gemüsebrühe, 1 Apfel, 1 Banane, 1 Orange, 100 g frische Ananas, 300 g Kartoffeln, 1 Paprikaschote, 1 Zucchino, 150 g Blattsalat, 100 g Rettich, 100 g Salatgurke, 4 Lauchzwiebeln, 1 kleine Möhre, 1 große Zwiebel, 1 Knoblauchzehe, 1 Kästchen Kresse, Petersilie, Schnittlauch, Zitronensaft, Essig, Kümmel, Salz, Pfeffer

morgens Obstsalat mit Frischkäsebrot
Geschälten Apfel, Orange und die Hälfte der Banane zerkleinern. Mit Korinthen und gehackten Nüssen mischen. Eine Scheibe Knäckebrot mit Frischkäse bestreichen und zum Obstsalat servieren.

vormittags Knäcke mit Rohkost
Knäckebrot mit Crème fraîche bestreichen. Jeweils etwa die Hälfte von Rettich und Salatgurke schälen, in Scheiben schneiden, mit Salz und Pfeffer würzen und zum Brot servieren.

mittags Marinierte Gemüse mit Kressequark
Paprikaschote putzen und achteln. Zwiebel in Ringe, geputzten Zucchino der Länge nach in Scheiben schneiden. Alle Gemüse in einem Eßlöffel Öl bei schwacher Hitze weich braten, dabei ein- bis zweimal wenden. Gemüse herausnehmen und – falls Sie es am Vorabend zubereiten – in ein verschließbares Gefäß legen. Die Pfanne von der Kochstelle nehmen. Das in der Pfanne verbliebene Öl mit zwei bis drei Eßlöffel Zitronensaft und gehacktem Knoblauch mischen. Über das Gemüse geben und alles zugedeckt erkalten lassen.
Zum Essen Quark mit saurer Sahne glattrühren, Salz, Pfeffer und Kresse untermischen. Quark und Vollkornbrot zum Gemüse servieren.

nachmittags Ananasstückchen und den Rest der Banane vom Frühstück

abends Pellkartoffeln mit Zwiebelsoße, Salat mit Joghurt-Dressing

Gewaschene Kartoffeln mit der Schale garen. Geputzte Lauchzwiebeln waschen, mit etwa zwei Drittel der grünen Blätter in fingerbreite Stücke schneiden und in Butter anbraten. Mehl darüberstäuben, mit einem Achtelliter Wasser aufgießen und unter Rühren aufkochen. Einen halben Teelöffel Instant-Gemüsebrühe untermischen. Zwiebelsoße bei kleiner Hitze fünf Minuten garen. Mit Salz, Kümmel und Pfeffer abschmecken. Schlagsahne untermischen. Kartoffeln abgießen, etwas ausdämpfen lassen, auf einen vorgewärmten Teller legen und halbieren oder vierteln. Soße darüber verteilen. Gehackte Petersilie und geschabte, geraspelte Möhre darüberstreuen. Während die Kartoffeln garen, geputzten Blattsalat waschen, trockenschwenken und zerpflücken. Den Rest von Rettich und Gurke schälen und raspeln. Salat, Rettich, Gurke und reichlich Schnittlauchröllchen mischen. Joghurt mit Salz, Pfeffer, Zitronensaft oder Essig und einem Teelöffel Öl kräftig verrühren und mit dem Salat mischen.

5. Tag Freitag

Das brauchen Sie heute:

225 g Joghurt, 100 g Magerquark, 2 Eßl. Milch, 2 Eßl. Schlagsahne, 3 Scheiben Knäckebrot, 125 g Kabeljaufilet, 10 g Knusperflocken, 20 g Weizenkörner, 2 getrocknete Pflaumen, 1 Teel. kaltgepreßtes Öl, 2 Äpfel, 1 kleine Banane, 1 Kiwi, 1 Mandarine, 100 g frische Ananas, 350 g Kartoffeln, 100 g Fenchel, 50 g Blattsalat, Dill, Kresse, Schnittlauch, Zitronensaft, Essig, Senf, Salz, Pfeffer

morgens Obstsalat mit Knusperflocken
Einen geschälten Apfel, eine halbe Banane, die geschälte Kiwi und Mandarine zerkleinern. Mit 75 Gramm Joghurt mischen. Knusperflocken darüberstreuen.

vormittags Ein Apfel

mittags Kräuterquark mit Fenchel
Quark mit Milch glattrühren. Fenchel putzen, waschen und zerkleinern. Mit gehacktem Dill und (nach Geschmack) gehackten Fenchelblättchen unter den Quark mischen. Mit Salz und Pfeffer abschmecken und mit Kresse bestreuen. Dazu das Knäckebrot.

nachmittags Ananasstückchen und getrocknete Pflaumen

abends Kabeljau in Senfsahne, Schnittlauchkartoffeln und Salat
Kartoffeln schälen, waschen, würfeln und in wenig Salzwasser garen. Portion halbieren. Die eine Hälfte warm halten, die andere zugedeckt für morgen abend in den Kühlschrank stellen.
Während die Kartoffeln garen, Kabeljaufilet auf ein Stück Alufolie legen. Mit Zitronensaft beträufeln, mit Salz und Pfeffer würzen. Schlagsahne mit einem Eßlöffel Senf verrühren und über dem Fisch verteilen. Folie so zusammenfalten, daß nichts auslaufen kann. Päckchen in einen Topf mit wenig Wasser legen. Zugedeckt bei schwacher Hitze 15 Minuten garen.
Blattsalat putzen, waschen, trockenschwenken und zerkleinern. Salatsoße aus Essig, Senf, Salz, Pfeffer

und Öl rühren. Salat damit mischen und mit zerkleinertem Schnittlauch bestreuen. Warm gehaltene Kartoffeln ebenfalls mit Schnittlauchröllchen mischen.

Nicht vergessen

Am Abend Weizenkörner schroten, mit dem restlichen Joghurt verrühren und zugedeckt für das Müsli morgen früh in den Kühlschrank stellen.

Zarte Gemüseblättchen als Rohkost

Fenchel und Staudensellerie, Radieschen und Rettich werden meist mit den grünen Blättern angeboten. Aber auch Gemüse wie Kohlrabi, Möhren, rote Bete und Knollensellerie sollten Sie möglichst mit dem Grün kaufen. Die zarten Blättchen liefern einen Teil der Rohkost, die bei der vollwertigen Ernährung so wichtig ist; außerdem geben sie den Speisen zusätzliche Würze. Die Blätter werden vor dem Putzen abgeschnitten und beiseite gelegt. Am Schluß streut man sie dann gewaschen und gehackt über das fertige Gericht.

6. Tag Samstag

Das brauchen Sie heute:
150 g Joghurt, 2 Eßl. Crème fraîche, 1 Eßl. Milch, 1 Eßl. saure Sahne, 20 g geriebenen Käse, 1 Teel. Butter, 1 Teel. Honig, 1 Scheibe Knäckebrot, 100 g Tofu, 5 Haselnußkerne, 2 Teel. kaltgepreßtes Öl, Instant-Gemüsebrühe, 1 Pfirsich, 100 g frische Ananas, 200 g Fenchel, 200 g Porree, 1 kleiner Radicchio, 1 große Tomate, 3 große Champignons, 5 Radieschen, 1 kleine Zwiebel, 1 Knoblauchzehe, Schnittlauch, Dill, Zitronensaft, Cayennepfeffer, Muskatnuß, Salz, Pfeffer

morgens Schrotmüsli mit Obst und Nüssen
Das am Vorabend eingeweichte Schrot mit zerkleinertem Pfirsich, Milch, gehackten Nüssen und Honig verrühren.

vormittags Radieschenbrot
Knäckebrot mit Butter bestreichen. Radieschen waschen, in Scheiben schneiden und auf das Brot legen.

mittags Salat mit gebratenem Tofu
Tofu würfeln, abgezogene Zwiebel und Knoblauchzehe hacken. Alle Zutaten in einem Teelöffel Öl bei kleiner bis mittlerer Hitze unter häufigem Wenden braten, bis der Tofu leicht gebräunt ist. Fenchel, Radicchio und Champignons putzen, waschen und zerkleinern. Mit saurer Sahne, Zitronensaft, Öl, Salz, Pfeffer und gehacktem Dill oder Schnittlauch mischen. Den Salat auf einem Teller anrichten, mit den warmen Tofuwürfeln und gehacktem Fenchelgrün bestreuen.

nachmittags Ananasjoghurt
Ananas in Stücke schneiden und mit Joghurt mischen.

abends Überbackene Kartoffeln mit Porree, Tomatensalat
Die gestern abend gekochten Salzkartoffeln in eine ofenfeste Form geben. Porree putzen, waschen und mit etwa zwei Drittel der grünen Blätter in fingerdicke Stücke schneiden. 100 Kubikzentimeter Wasser mit einem Teelöffel Instant-Gemüsebrühe zum Kochen bringen. Porree darin aufkochen. Topf von der Kochstelle ziehen, Käse in die Brühe geben und unter Rühren darin auflösen. Crème fraîche untermischen, mit Pfeffer, Cayennepfeffer und Muskatnuß

würzen. Porree mit der Soße über den Kartoffeln verteilen. Form in den vorgeheizten Backofen schieben. Die Kartoffeln bei 250 Grad / Gas Stufe 3 1/2–4 etwa 15 Minuten überbacken, bis sie an der Oberfläche leicht gebräunt sind. Während die Kartoffeln backen, gewaschene Tomate quer zu den Samenkammern in Scheiben schneiden und den Stielansatz der Tomate dabei entfernen (siehe Kasten). Scheiben kreisförmig auf einen Teller legen, mit Schnittlauchröllchen bestreuen, mit Salz und Pfeffer würzen.

Tomaten vorbereiten

Stielansätze und noch grüne Kerne von Tomaten sollten Sie immer entfernen, denn beides enthält – in geringen Mengen – schädliches Solanin. Wenn Sie Tomaten lieber ohne Haut mögen, machen Sie das am besten so: mit der Klinge eines kleinen, scharfen Messers über die gesamte Oberfläche der Tomate fahren; die Klinge dabei leicht schräg halten, damit die Haut nicht eingeritzt wird. Tomate einige Minuten liegenlassen, dann die Haut mit dem Messer abziehen.

7. Tag Sonntag

Das brauchen Sie heute:
300 g Joghurt, 1 Eßl. Schlagsahne, 1 Teel. Honig, 1 Eßl. Kapern, 1 Scheibe Vollkornbrot, 30 g Getreideflocken, 25 g Bulgur (ersatzweise Thermo-Weizengrütze), 20 g Sonnenblumenkerne, 2 getrocknete Pflaumen, 2 1/2 Eßl. kaltgepreßtes Öl, Instant-Gemüsebrühe, 2 Orangen, 100 g frische Ananas, 1 Aubergine, 200 g Tomaten, 100 g Fenchel, 100 g Staudensellerie, 1 kleine Zwiebel, Petersilie, gemischte Kräuter wie Schnittlauch, Dill, Kerbel und/oder Kresse, Zitronensaft, Essig, 1–2 Teel. Gewürzmischung (siehe Seite 47), Cayennepfeffer, Salz, Pfeffer

morgens Porridge
Getreideflocken mit 225 Kubikzentimeter Wasser und einer Prise Salz aufkochen und zugedeckt bei kleiner Hitze zehn Minuten kochen lassen. Dabei häufig umrühren.
Getrocknete Pflaumen und eine geschälte Orange zerkleinern. Porridge in einen Teller geben, mit Schlagsahne und Honig beträufeln. Obst darauflegen.

vormittags 150 Gramm Joghurt

mittags Brotsalat mit Gemüse und Kapern
Vollkornbrot toasten und würfeln. Mit gewürfelten Tomaten, zerkleinertem Fenchel und Fenchelgrün, Kapern, einem kräftigen Schuß Essig, Pfeffer und einem Eßlöffel Öl mischen. Zehn Minuten ziehen lassen. Mit reichlich gehackter Petersilie bestreuen.

nachmittags Eine Orange

abends Auberginen mit Joghurtsoße, Bulgur, Ananassalat
Gehackte Zwiebel in einem Teelöffel Öl glasig braten. Bulgur und Gewürzmischung zugeben und kurz mitbraten. 75 Kubikzentimeter Wasser und eine Messerspitze Instant-Gemüsebrühe zufügen, aufkochen und zugedeckt bei kleiner Hitze etwa 25 Minuten garen, bis das Bulgur alle Flüssigkeit aufgesogen hat und körnig ist. Mit Salz und Zitronensaft abschmekken.
Während das Bulgur gart, gewaschene, abgetrocknete Aubergine in Scheiben schneiden und in einem Eßlöffel Öl bei kleiner Hitze auf beiden Seiten etwa 20 Minuten braten. Restlichen Joghurt mit Cayennepfeffer und gehackten Kräutern mischen.
Für den Salat Ananas und Selleriestangen in Stücke

schneiden, mit Zitronensaft, gehackten Kräutern, Sonnenblumenkernen und Pfeffer mischen. Mit Selerieblättchen bestreuen.

Tip
Marinierte Zwiebeln für morgen mittag (Rezept Seite 70) können Sie heute schon zubereiten und zugedeckt in den Kühlschrank stellen.

Gemüse kurz garen

Gemüse schmeckt am besten, wenn Sie es nur so lange garen, bis es gerade eben weich, also noch bißfest ist. Damit Vitamine, Aroma und Farbe erhalten bleiben, kochen Sie es bei großer Hitze an. Dann zugedeckt bei kleiner bis mittlerer Hitze fertiggaren. Für die Garzeiten hier ein paar Richtwerte:

- Auberginenscheiben: etwa 20 Minuten bei kleiner Hitze braten;
- Blumenkohlröschen und Stiele: fünf bis 15 Minuten, dabei zwischendurch einmal kosten;
- Grüne Bohnen: mindestens 15 Minuten;
- Brokkoli: Stiele fünf bis zehn Minuten, Röschen fünf Minuten;
- Möhrenstifte und -scheiben: drei bis fünf Minuten;
- Porree, Lauchzwiebeln: fingerbreite Stücke etwa drei Minuten;
- Rotkohl, Weißkohl, Wirsing: klein geschnittene Rippen fünf Minuten, zerkleinerte Blätter drei Minuten;
- Spargel, Schwarzwurzeln: zehn bis 20 Minuten;
- Spinat und andere Blattgemüse: bis die Blätter zusammenfallen und intensiv grün sind;
- Zucchinistifte oder -scheiben : nur aufkochen.

Zweite Woche

Marinierte Zwiebeln
mit Roastbeef,
Chinapfanne mit
Grünkern (Rezepte
Seite 70)

8. Tag Montag

(Foto Seite 68/69)

Das brauchen Sie heute:
125 g Magerquark, 2 Eßl. Milch, 1 Scheibe Vollkornbrot, 1 Scheibe Knäckebrot, 2 getrocknete Chinapilze, 1 Eßl. Sojasoße, 30 g gegartes Roastbeef, 100 g Grünkernkörner, 5 Haselnußkerne, 2 Eßl. kaltgepreßtes Öl, 1 Banane, 1 Pfirsich, 1 Apfel, 250 g Lauchzwiebeln, 200 g Fenchel, 150 g Porree, 100 g kleine Champignons, 2 Tomaten, 1 Möhre, 1 Knoblauchzehe, Thymian, Petersilie, Zitronensaft, Salz, Pfeffer

Nicht vergessen
Für das Abendessen schon morgens die Grünkernkörner mit 200 Kubikzentimeter kaltem Wasser übergießen. Chinapilze in sechs Eßlöffel kaltem Wasser einweichen. Beide Zutaten zugedeckt stehenlassen.

morgens Bananenquark
Quark mit Milch, zerdrückter Banane, Zitronensaft und gehackten Nüssen vermischen. Dazu Knäckebrot.

vormittags Ein Pfirsich

mittags Marinierte Zwiebeln mit Roastbeef
Lauchzwiebeln putzen, waschen und mit etwa zwei Drittel der grünen Blätter in fünf Zentimeter lange Stücke schneiden. Einen Achtelliter Wasser mit einem halben Teelöffel Instant-Gemüsebrühe, zwei bis drei Eßlöffel Zitronensaft, etwa einem Teelöffel Thymian einmal aufkochen. Champignons putzen, kurz waschen, zugeben und fünf Minuten garen. Salz, Pfeffer und einen Eßlöffel Öl untermischen. Zugedeckt erkalten lassen und – falls Sie die Zwiebeln schon am Vorabend zubereiten – im Kühlschrank aufbewahren.
Zum Essen eine gewürfelte Tomate und gehackte Petersilie darüberstreuen. Vollkornbrot und Rostbeefscheiben dazu servieren.

nachmittags Ein Apfel

abends Chinapfanne mit Grünkern, Fenchelsalat
Den am Morgen eingeweichten Grünkern mit dem Einweichwasser aufkochen und zugedeckt bei kleiner Hitze 40 Minuten garen. Die Portion halbieren. Die eine Hälfte für „Gefüllte Tomaten“ am Donnerstag zugedeckt in den Kühlschrank stellen.
Die harten Stiele der Pilze abschneiden, Pilze waschen und in Streifen schneiden. Porree putzen, waschen, mit etwa zwei Drittel der grünen Blätter in dünne Ringe schneiden. Geschabte Möhre in Stifte

schneiden. Knoblauch hacken. Einen halben Eßlöffel Öl erhitzen. Grünkern darin anbraten. Pilze, Porree, Möhre und Knoblauch kurz mitbraten. Einweichwasser der Pilze und Sojasoße zugießen. Aufkochen und nur so lange garen, bis die Möhre gerade eben weich ist.
Für den Salat geputzten Fenchel zerkleinern. Mit gehackten Fenchelblättern, gewürfelter Tomate, Zitronensaft, Salz, Pfeffer und Öl mischen.

Abmessen mit Eßlöffeln

Streufähige Zutaten sind in diesem Buch meist in Gramm, flüssige in Eßlöffel angegeben. Natürlich brauchen Sie die Lebensmittel nicht jedesmal auszuwiegen. Prüfen Sie einmal mit dem Eßlöffel, den Sie dann immer zum Abmessen benutzen, ob die folgenden Angaben für Ihren Löffel zutreffen. Zum Wiegen eignet sich am besten eine genaue (Digital-) Waage, wie man sie auch für Briefe verwendet.

10 g Mehl: etwa ein gestrichener Eßlöffel
20 g Getreidekörner: etwa ein Eßlöffel
10 g Getreideflocken: etwa ein Eßlöffel
10 g Knusperflocken: etwa zwei Eßlöffel
20 g Sonnenblumenkerne: etwa ein Eßl.
10 g Butter: knapp ein gestrichener Eßl.

1 Eßlöffel Crème fraîche: etwa 15 Gramm
1 Eßlöffel Sahne: etwa 25 Gramm
1 Eßlöffel saure Sahne: etwa 15 Gramm
1 Eßlöffel Korinthen: etwa 10 Gramm
1 Eßl. Zuckerrohrgranulat: etwa 15 Gramm

9. Tag Dienstag

morgens Gurkenbrot

Vollkornbrot mit Butter bestreichen. Geschälte Salatgurke raspeln, mit sauer Sahne und gehacktem Dill mischen. Mit Salz und Pfeffer abschmecken.

vormittags Nußbrot

Knäckebrot mit Nußmus bestreichen. Dazu eine Orange.

mittags Flockenmüsli mit Obst

Zerdrückte Banane mit zerkleinerten Trockenpflaumen und Dickmilch mischen. Mit Flocken bestreuen.

nachmittags Zwei Kiwis

abends Dicke Bohnen mit Tomaten und Hirse

Hirse mit 200 Kubikzentimeter Wasser und einem knappen Teelöffel Instant-Gemüsebrühe aufkochen und zugedeckt bei kleiner Hitze 30 Minuten garen. Die Portion halbieren. Die eine Hälfte zugedeckt für morgen abend in den Kühlschrank stellen. Die andere Hälfte mit Schnittlauchröllchen mischen. Während die Hirse gart, Dicke Bohnen mit gehackter Zwiebel, Knoblauch und einigen gehackten Bohnenkrautstielen im Öl anbraten. Vier Eßlöffel Wasser zugeben. Bohnen zugedeckt bei kleiner Hitze 15 Minuten garen. Tomaten häuten (siehe Kasten Seite 65), würfeln und mit gehackten Bohnenkrautblättchen unter die Bohnen mischen. Mit Salz und Pfeffer abschmecken.

Das brauchen Sie heute:

200 g Dickmilch, 1 Eßl. saure Sahne, 10 g Butter, 150 g tiefgekühlte Dicke Bohnen, 1 Scheibe Vollkornbrot, 1 Scheibe Knäckebrot, 100 g Hirse, 30 g Getreideflocken, 1 Eßl. Nußmus, 2 getrocknete Pflaumen, 2 Eßl. Rettich- oder Alfalfasamen, 1 Teel. kaltgepreßtes Öl, Instant-Gemüsebrühe, 2 Kiwis, 1 Orange, 1 Banane, 200 g Tomaten, 100 g Salatgurke, 1 Zwiebel, 1 Knoblauchzehe, Dill, Schnittlauch, Bohnenkraut, Salz, Pfeffer

Nicht vergessen

Rettich- oder Alfalfasamen für Freitag und Samstag keimen lassen.

Dicke Bohnen mit Tomaten und Hirse

10. Tag Mittwoch

Das brauchen Sie heute:

150 g körnigen Frischkäse, 150 g Joghurt, 1 Teel. Schlagsahne, 10 g geriebenen Käse, 1 Ei, 1/2 Dose Zuckermais (abgetropft etwa 150 g), 1 Teel. Honig, 1 Scheibe Vollkornbrot, 1 Eßl. Sojasoße, 100 g Tofu, 2 Teel. kaltgepreßtes Öl, 2 Mandarinen, 1 Apfel, 50 g Blattsalat, 1 großes Bund Radieschen, 1 Tomate, 1 Zwiebel, Schnittlauch, Thymian, Zitronensaft, Essig, Senf, Zimtpulver, Cayennepfeffer, Salz, Pfeffer

Nicht vergessen

Für das Mittagessen schon morgens den Tofu in Scheiben schneiden und in ein verschließbares Gefäß legen. Sojasoße, zwei bis drei Eßlöffel Zitronensaft, einen Teelöffel Öl, Cayennepfeffer und Salz verrühren und über den Tofu gießen. Bis mittags zugedeckt bei Zimmertemperatur marinieren.

morgens Frischkäse mit Obst
Einen halben Apfel schälen und zerkleinern. Mit Frischkäse, Zimt und Honig mischen.

vormittags Zweite Apfelhälfte schälen und mit Joghurt servieren.

mittags Marinierter Tofu mit Radieschen
Tofuscheiben von morgens auf einen Teller legen, mit der Marinade beträufeln und mit Schnittlauchröllchen bestreuen.
Etwa zwei Drittel der Radieschen in dünne Scheiben schneiden, mit Salz, Pfeffer und Schnittlauch bestreuen. Mit Vollkornbrot zum Tofu servieren.

nachmittags Zwei Mandarinen

abends Hirseauflauf mit Salat
Zwiebel hacken. Tomate häuten (siehe Kasten Seite 65). Beide Zutaten mit der aufbewahrten Hirse von gestern, der halben Dose abgetropftem Mais, Eigelb, Salz, Pfeffer und Thymian mischen. Steifgeschlagenes Eiweiß und Käse zugeben und alles vorsichtig mischen. In eine ofenfeste Form füllen und in den kalten Backofen stellen. Ofen auf 200 Grad/Gas Stufe 2 1/2–3 schalten. Auflauf etwa 30 Minuten backen.
Inzwischen Blattsalat und restliche Radieschen waschen, zerkleinern und mit einer Soße aus Essig, Senf, Schlagsahne, Salz, Pfeffer und restlichem Öl mischen. Mit Schnittlauch bestreuen.

Salatsoßen

Salatsoßen können Sie ganz nach Geschmack mit Essig oder Zitronensaft, Früchtetee, Senf, frischen, getrockneten oder tiefgekühlten Kräutern, Salz und Pfeffer mischen; die Mengen aller dieser Zutaten spielen für die Energiezufuhr, also für die Kalorien, keine Rolle. Dagegen sollten Sie von energiereichem Öl und von Milchprodukten wie Schlagsahne und Joghurt, saurer Sahne und Crème fraîche nur so viel nehmen, wie im Rezept angegeben ist.
Auch wenn der Salat zu sauer geraten ist – etwa durch sehr säurehaltigen Essig oder zuviel Zitronensaft: bitte nicht mit Schlagsahne, Crème fraîche oder gar Mayonnaise mildern. Mischen Sie lieber noch etwas geraspeltes Gemüse darunter. Das hat nur wenige Kalorien, liefert aber zusätzlich Nähr- und Ballaststoffe. Bei mariniertem Gemüse, Hülsenfrucht-, Sprossen- und Getreidesalaten helfen auch einige Eßlöffel Gemüsebrühe.

Tip

Den Maissalat für morgen mittag (Rezept Seite 76) können Sie heute schon vorbereiten: Dicke Bohnen in wenig Salzwasser garen und mit dem restlichen abgetropften Mais gemischt in einem verschlossenen Gefäß aufbewahren.

11. Tag Donnerstag

Das brauchen Sie heute:

225 g Joghurt, 25 g geriebenen Käse, 1/2 Dose Zuckermais (abgetropft etwa 150 g), 150 g tiefgekühlte Dicke Bohnen, 1 Scheibe Vollkornbrot, 20 g Weizenkörner, 10 g Knusperflocken, je 1 Eßl. Mungobohnen und Rettich- oder Alfalfasamen, 1 Eßl. kaltgepreßtes Öl, 2 Äpfel, 2 Bananen, 1 Kiwi, 1 Mandarine, 80 g Blattsalat, 3 große Tomaten, 1 Knoblauchzehe, gemischte Kräuter wie Petersilie, Schnittlauch, Dill und/oder Kresse, Thymian, Essig, Senf, Salz, Pfeffer

morgens Obstsalat
Einen geschälten Apfel zerkleinern, eine Banane zerdrücken. Mit zerkleinerter Kiwi, Mandarine und 75 Gramm Joghurt mischen. Flocken darüberstreuen.

vormittags Ein Apfel

mittags Maissalat mit Bohnen und Tomaten
Gegarte Dicke Bohnen und abgetropften Mais (eventuell gestern schon vorbereitet) mit einer gewürfelten Tomate, gehackten Kräutern und einer Soße aus Essig, Senf, Salz, Pfeffer und einem halben Eßlöffel Öl mischen. Dazu eine Scheibe Vollkornbrot.

nachmittags Eine Banane

abends Gefüllte Tomate und Salat
Die beiden restlichen Tomaten waschen, jeweils einen Deckel abschneiden. Das Fruchtfleisch vorsichtig mit einem Teelöffel herausholen und hacken. Mit dem aufbewahrten Grünkern von Montag, gehacktem Knoblauch, Thymian, Petersilie, geriebenem Käse, Salz und Pfeffer vermischen. In die Tomaten füllen, Deckel wieder auflegen. Tomaten in eine ofenfeste Form setzen und in den vorgeheizten Backofen stellen. Bei 200 Grad/Gas Stufe 2 1/2–3 etwa 20 Minuten backen.
Währenddessen geputzten, gewaschenen Salat zerkleinern und mit einer Soße aus Essig, Senf, Salz, Pfeffer und dem restlichen Öl vermischen.

Backofen vorheizen?

Umluft- und Gasbacköfen heizt man grundsätzlich nicht vor. Moderne Elektrobacköfen mit Ober- und Unterhitze brauchen zum Aufheizen etwa 15, ältere Modelle bis zu 30 Minuten. Bei kurzen Garzeiten bis zu 30 Minuten lohnt es sich, den Ofen vorzuheizen: Während der Aufheizzeit – die man zur Garzeit hinzurechnen müßte – kann man z. B. den Auflauf vorbereiten oder den Salat mischen. Bei Garzeiten über 30 Minuten dagegen schiebt man das Gericht besser in den kalten Backofen, denn es braucht nicht Aufheizzeit *plus* Garzeit, sondern etwas weniger: Der Garprozeß beginnt ja, sobald sich der Ofen erwärmt, und nicht erst, wenn die eingestellte Backtemperatur erreicht ist. Bei langen Garzeiten – etwa beim Backen – kann man so bis zu zehn Minuten Gesamtzeit einsparen.

Nicht vergessen

Am Abend Weizenkörner schroten, mit dem restlichen Joghurt verrühren und zugedeckt für das Müsli morgen früh in den Kühlschrank stellen.

Für Mittag- und Abendessen am Sonntag heute alle Samen (getrennt) keimen lassen.

Tip

Das Mittagessen für morgen (Rezept Seite 78) können Sie heute schon vorbereiten: Tofu mit einer Gabel ganz fein zerdrücken, mit Crème fraîche verrühren und zugedeckt in den Kühlschrank stellen.

12. Tag Freitag

Das brauchen Sie heute:
150 g Joghurt, 1 Eßl. Milch, 2 Eßl. Crème fraîche, 10 g Butter, 1 Teel. Honig, 1 Eßl. Kapern, 1 Beutel Apfeltee, 1 Scheibe Vollkornbrot, 150 g Schollenfilet, 100 g Tofu, 1/2 Eßl. Sesamsamen, 5 Haselnußkerne, 1/2 Eßl. kaltgepreßtes Öl, 2 Äpfel, 150 g Pflaumen, 200 g Kartoffeln, 100 g beliebiges rohes Gemüse (Rest), 1 große Möhre, Zitronensaft, Petersilie, Salz, Pfeffer

morgens Schrotmüsli mit Obst und Nüssen
Das eingeweichte Schrot von gestern abend mit zerkleinerten Pflaumen, Milch, gehackten Nüssen und Honig verrühren.

vormittags Ein Apfel

mittags Herzhafter Tofuaufstrich
Den (eventuell gestern schon) zerdrückten und mit einem Eßlöffel Crème fraîche verrührten Tofu mit zerkleinertem Gemüse, Sesam, Salz, Pfeffer und Zitronensaft mischen. Auf dem Vollkornbrot verteilen.

nachmittags Joghurt

abends Scholle in Kapernsoße mit Kartoffeln und Möhrenrohkost
Kartoffeln in der Schale garen. Währenddessen für die Salatsoße Apfeltee mit einer halben Tasse kochendem Wasser übergießen und zehn Minuten ziehen lassen. Erkaltet mit Zitronensaft, wenig Salz, Pfeffer und Öl verrühren. Möhre und Apfel schälen und raspeln. Mit der Hälfte der Rettich- oder Alfalfasprossen (seit Dienstag gekeimt) und der Salatsoße mischen.
Fisch mit Salz und Pfeffer würzen und in Butter bei kleiner Hitze pro Seite etwa eine halbe Minute braten. Mit Kartoffeln auf einen vorgewärmten Teller legen. Mit zwei bis drei Eßlöffel Zitronensaft, dem Rest der Crème fraîche und den Kapern in die Bratbutter geben und erhitzen. Über dem Fisch verteilen. Mit gehackter Petersilie bestreuen.

Scholle in Kapernsoße mit Kartoffeln und Möhrenrohkost

13. Tag Samstag

Das brauchen Sie heute:

150 g Joghurt, 3 Eßl. Milch, 10 g geriebenen Käse, 150 g Tiefkühl-Rosenkohl, 2 Scheiben Vollkornbrot, 1 Eßl. Sojasoße, 50 g Tofu, 50 g Buchweizen, 20 g Getreideflocken, 10 g Sonnenblumenkerne, 1 Eßl. Nußmus, 1 1/2 Eßl. kaltgepreßtes Öl, Instant-Gemüsebrühe, 1 Pfirsich, je 100 g Blumenkohlröschen und Porree, 1 kleiner Radicchio, 1 Handvoll Feldsalat, 1 Möhre, 1 kleine Zwiebel, 1 Knoblauchzehe, Schnittlauch, Essig, Senf, Salz, Pfeffer

morgens Fruchtjoghurt
Joghurt mit einem zerkleinerten Pfirsich mischen. Einen Eßlöffel Flocken und die Sonnenblumenkerne darüberstreuen.

vormittags Schnelle Gemüsesuppe
200 Kubikzentimeter Wasser mit einem Teelöffel Instant-Gemüsebrühe aufkochen. In Stifte geschnittene Möhre etwa drei Minuten darin garen. Restliche Rettich- oder Alfalfasprossen (seit Dienstag gekeimt) zugeben. Dazu eine Scheibe Vollkornbrot.

mittags Salat mit gebratenen Tofuscheiben
Den morgens marinierten Tofu in einem halben Eßlöffel Öl bei mittlerer Hitze von beiden Seiten goldbraun und knusprig braten.
Radicchio und Feldsalat putzen, waschen und zerkleinern. Mit einer Salatsoße aus Essig, Senf, Salz und Pfeffer und einem halben Eßlöffel Öl mischen. Mit Tofuscheiben belegen und mit Schnittlauchröllchen bestreuen.

nachmittags Eine Scheibe Vollkornbrot, mit Nußmus bestrichen.

abends Überbackenes Gemüse mit Buchweizen
Buchweizen mit 50 Kubikzentimeter Wasser mischen und quellen lassen, bis die anderen Zutaten vorbereitet sind. Blumenkohl und Porree waschen, Rosenkohl auftauen lassen, große Röschen halbieren. Porree mit etwa zwei Drittel der grünen Blätter in fingerbreite Streifen schneiden. Gehackte Zwiebel und Knoblauchzehe im restlichen Öl glasig braten. Gemüse zugeben und unter Rühren einige Sekunden mitbraten. Mit Salz und Pfeffer würzen, zwei Eßlöffel Wasser und eine Messerspitze Instant-Gemüse-

Nicht vergessen

Für das Mittagessen morgens schon den Tofu in dünne Scheiben schneiden, mit Sojasoße beträufeln und zugedeckt marinieren.

brühe zugeben. In eine ofenfeste Form füllen. Buchweizen mit den Fingerspitzen wie Streusel verreiben und mit dem Käse über das Gemüse streuen. Form in den vorgeheizten Backofen auf die mittlere Schiene stellen. Gemüse bei 200 Grad/Gas Stufe $2^1/_2$–3 etwa 25 Minuten backen, bis es gerade eben weich ist.

Nicht vergessen

Restliche Getreideflocken mit Milch verrühren und zugedeckt für das Müsli morgen früh in den Kühlschrank stellen.

Tofu ersetzen

Wenn Sie Tofu nicht so gerne essen oder ihn nur schwer besorgen können, eignet sich statt dessen
– für Salate: ein (wachsweich) gekochtes Ei oder eine Scheibe gewürfeltes Vollkornbrot, in wenig Öl – eventuell mit Knoblauch – geröstet,
– für Brotaufstrich: Magerquark oder körniger Frischkäse,
– als Hauptgericht: eine mittelgroße Kartoffel mit einem Eßlöffel saurer Sahne (statt gebratener Tofuschnitzel).

14. Tag Sonntag

Das brauchen Sie heute:

75 g Joghurt, 10 g geriebenen Käse, 10 g Butter, 1 Scheibe Vollkornbrot, 1 Scheibe Knäckebrot, 15 g gegarte Putenbrust, 100 ccm Sojamilch, 20 g Sonnenblumenkerne, 5 Mandeln, 10 g Korinthen, 1½ Eßl. kaltgepreßtes Öl, Instant-Gemüsebrühe, 1 Apfel, 1 Banane, 1 Orange, 200 g Kartoffeln, 200 g Blumenkohlröschen, 1 Tomate, 80 g Blattsalat, 1 Handvoll Spinat, 1 Zwiebel, 2 Knoblauchzehen, eventuell 1 Stück frische Ingwerwurzel, Schnittlauch, Petersilie, Zitronensaft, Essig, Senf, 1–2 Teel. Gewürzmischung (siehe Seite 47), Salz, Pfeffer

morgens Birchermüsli

Die eingeweichten Flocken von gestern abend mit geschältem, geraspeltem Apfel, einer halben zerdrückten Banane, einer zerkleinerten Orange, Korinthen und Sonnenblumenkernen mischen.

vormittags Käse-Schnittlauch-Brot

Knäckebrot mit Butter bestreichen, mit Käse und Schnittlauchröllchen bestreuen.

mittags Brot mit Salat

Tomate häuten (siehe Kasten Seite 65) und zerdrükken. Mit einer gehackten Knoblauchzehe und einem Teelöffel Öl verrühren. Auf das Vollkornbrot streichen, mit Pfeffer bestreuen und nach Wunsch mit etwas Zitronensaft beträufeln. Geputzten, gewaschenen Salat und Putenbrust in Streifen schneiden. Beide Zutaten mit den Rettich- und Alfalfasprossen (seit Donnerstag gekeimt) mischen. Joghurt mit Zitronensaft, Salz, Pfeffer und einem Teelöffel Öl verrühren. Salat damit mischen und auf dem Brot verteilen.

nachmittags Rest der Banane vom Frühstück

abends Blumenkohlcurry mit Sprossensalat

Kartoffeln schälen und würfeln. Gehackte Zwiebel, Knoblauchzehe und Gewürzmischung – nach Wunsch auch ein Stückchen geschälte, frische Ingwerwurzel – in einem halben Eßlöffel Öl anbraten. Kartoffeln und Blumenkohlröschen bei großer Hitze mitbraten. Sojamilch (oder je 50 Kubikzentimeter Gemüsebrühe und Milch) zugießen, aufkochen und zugedeckt bei kleiner Hitze 15 bis 20 Minuten garen, bis die Kartoffeln weich sind. Dabei häufig umrühren, damit nichts anbrennt. Mit gehackter Petersilie bestreuen. Für den Salat die Mungosprossen (seit Donnerstag gekeimt) mit zwei Eßlöffel Wasser und einer Messerspitze Instant-Gemüsebrühe einige Minuten dünsten und lauwarm abkühlen lassen. Gewaschenen, zerkleinerten Spinat, Essig, Senf, Salz, Pfeffer und einen halben Eßlöffel Öl untermischen. Salat mit gehackten Mandeln bestreuen.

Spinat

Es gibt zwei Sorten Spinat zu kaufen, die man an den Blättern erkennt:

– Winterspinat mit derben, dunkelgrünen Blättern und langen, kräftigen Stielen. Er kommt aus deutschem Anbau im März und April auf den Markt. Meist wird dieser Spinat mit dem Wurzelansatz geerntet und als preiswerter Wurzelspinat angeboten.

– Sommerspinat mit zarten hellgrünen Blättern, der ohne Wurzelansatz als Blattspinat verkauft wird. Im Oktober und November stammt er aus deutschem Anbau, während der übrigen Zeit aus dem europäischen Ausland oder aus dem Treibhaus.

Wurzelspinat schmeckt kurz gedünstet am besten, Blattspinat eignet sich besonders für Salat.

Dritte Woche

Korinthenquark mit Flocken, Mangold mit Orange, Geschmorter Weizen mit Tomaten, (Rezepte Seite 86)

15. Tag Montag

(Foto Seite 84/85)

Das brauchen Sie heute:

150 g Joghurt, 100 g Magerquark, 3 Eßl. Milch, 3 Eßl. Schlagsahne, 1 Teel. Honig, 2 Scheiben Knäckebrot, 100 g Weizenkörner, 20 g Getreideflocken, 10 g Korinthen, 3 Teel. kaltgepreßtes Öl, 1 Kiwi, 1 kleinen Apfel, 1 Orange, 200 g Tomaten, 100 g Champignons, 50 g Mangold (ersatzweise Spinat), 1 kleine Zwiebel, Schnittlauch, Zitronensaft, Essig, Senf, Koriander, Salz, Pfeffer

morgens Korinthenquark mit Flocken

100 Gramm Quark mit drei Eßlöffel Milch, einer zerkleinerten Kiwi, Getreideflocken und Korinthen mischen. Dazu eine Scheibe Knäckebrot.

vormittags Ein kleiner Apfel

mittags Mangold mit Orange

Mangold putzen, waschen und zerkleinern. Geschälte Orange in Scheiben schneiden, Saft auffangen. Mit Essig, Senf, einem Eßlöffel Schlagsahne, Honig, Pfeffer, einer Prise gemahlenem Koriander und einem Teelöffel Öl verrühren. Mangold und Orange mit der Soße mischen. Dazu eine Scheibe Knäckebrot.

nachmittags Joghurt

abends Geschmorter Weizen mit Tomaten, Pilzsalat

Eingeweichten Weizen mit dem Wasser aufkochen und zugedeckt bei kleiner Hitze eine Stunde garen. Portion halbieren, die eine Hälfte zugedeckt für morgen abend in den Kühlschrank stellen.
Gehackte Zwiebel in einem Teelöffel Öl bei kleiner Hitze glasig braten. Vorgegarte Weizenkörner, abgezogene, gewürfelte Tomaten (siehe Kasten Seite 65) und zwei Eßlöffel Schlagsahne zugeben. Einmal aufkochen und zugedeckt bei kleiner Hitze 20 Minuten garen. Mit Salz, Pfeffer und Zitronensaft abschmekken und mit Schnittlauchröllchen bestreuen. Während der Weizen gart, für den Salat Champignons putzen, ganz kurz waschen, in Scheiben schneiden und auf einem Teller anrichten. Mit Zitronensaft und restlichem Öl beträufeln, mit Salz und Pfeffer würzen. Schnittlauchröllchen darüberstreuen.

Nicht vergessen

Für das Abendessen Weizenkörner in 200 Kubikzentimeter Wasser zugedeckt einweichen.

Mangold

Rippenmangold – auch Krautstiel, Rübstiel, Stielmus oder Stielmangold genannt – mit besonders großen, fleischigen Stielen und intensiv grünen Blättern gibt es auf Wochenmärkten und beim Gemüsehändler; Supermärkte bieten ihn bis jetzt nur selten an. Von Ende Juni bis Anfang November stammt Mangold aus dem Freiland; von Dezember bis Ende März wird er im Treibhaus gezogen. Schnittmangold mit sehr dünnen Stielen und ebenfalls großen Blättern gibt es nur selten zu kaufen; Gartenbesitzer können ihn ganz leicht im Gemüsebeet ziehen und den ganzen Sommer bis in den späten Herbst hindurch ernten.
Mangold schmeckt ebenso wie Spinat als Gemüse oder als Salat. Bei Mangoldgemüse sollten Sie – der unterschiedlichen Garzeiten wegen – zuerst die zerkleinerten Stiele, dann die Blätter dünsten.

Tip

Das Mittagessen für morgen (Rezept Seite 88) könnten Sie heute schon vorbereiten: Edelpilzkäse zerdrücken, mit Quark, Milch und Schlagsahne glattrühren. Zugedeckt in den Kühlschrank stellen.

16. Tag Dienstag

Das brauchen Sie heute:

225 g Joghurt, 50 g Magerquark, 45 g körnigen Frischkäse, 1 Eßl. Milch, 1 Eßl. Schlagsahne, 1 Ei, 1/2 Eßl. Honig, 20 g Edelpilzkäse (45 %), 1/2 Eßl. geriebenen Käse, 1 Scheibe Vollkornbrot, 2 Scheiben Knäckebrot, 50 g Linsen, 10 g Getreideflocken, 20 g Sonnenblumenkerne, 1/2 Eßl. kaltgepreßtes Öl, Instant-Gemüsebrühe, 1 Banane, 1 kleiner Apfel, 200 g Staudensellerie, 200 g beliebiges rohes Gemüse (Rest), 1 Zwiebel, Kresse, Petersilie, Schnittlauch, eventuell Dill, Zitronensaft, Salz, Pfeffer

morgens Knäckebrote süß und herzhaft
Frischkäse auf den Knäckebroten verteilen. Ein Brot mit Honig beträufeln. Das andere mit Kresse belegen. Mit Pfeffer und Salz würzen.

vormittags Joghurt mit Banane
150 g Joghurt mit zerdrückter Banane und etwas Zitronensaft mischen. Flocken darüberstreuen.

mittags Staudensellerie mit Käsedip
Den (eventuell gestern) mit Quark, Milch und Sahne angerührten Edelpilzkäse mit Pfeffer würzen und mit Kresse bestreuen. Dazu die gewaschenen Selleriestangen und das Vollkornbrot servieren.

nachmittags Ein Apfel

abends Weizenfrikadellen mit Gemüsesalat
Für die Frikadellen die aufbewahrten Weizenkörner von gestern gut abtropfen lassen. Mit gehackter Zwiebel, Sonnenblumenkernen, Ei, gehackter Petersilie und geriebenem Käse verrühren. Mit Pfeffer und Salz abschmecken. Frikadellen von je etwa einem Eßlöffel Teig in das heiße Öl geben. Bei kleiner bis mittlerer Hitze auf der Unterseite braten, bis sie sich leicht vom Pfannenboden lösen. Die Frikadellen wenden und auf der zweiten Seite braun braten.
Für den Salat zerkleinertes Gemüse mit Joghurt, Schnittlauchröllchen und eventuell gehacktem Dill mischen. Mit Salz und Pfeffer abschmecken.

Nicht vergessen

Für morgen mittag Linsen in einem Achtelliter Wasser mit einem halben Teelöffel Instant-Gemüsebrühe einmal aufkochen und zugedeckt bei kleiner Hitze in etwa 45 Minuten weich garen. Linsen erkalten lassen und zugedeckt in den Kühlschrank stellen.

Gemüse und Kräuter für Ratatouille (Rezept Seite 90)

17. Tag Mittwoch

Das brauchen Sie heute:

75 g Joghurt, 2 Eßl. saure Sahne, 1 Ei, 10 g Butter, 1 Teel. Honig, 2 Scheiben Vollkornbrot, 4 Eßl. kaltgepreßtes Öl, 100 g frische Ananas, 1 Orange, 200 g Kartoffeln, 400 g Tomaten, 300 g Paprikaschoten, 250 g kleine Zucchini, 1 Aubergine, 50 g Champignons, 2 Radieschen, 1 Lauchzwiebel, 1 große Zwiebel, 1 Knoblauchzehe, Dill, Bohnenkraut, Schnittlauch, Thymian, Zitronensaft, Essig, Salz, Pfeffer

morgens Brote mit Eiersalat und mit Honig

Ei hart kochen. Eine Scheibe Vollkornbrot mit Butter bestreichen und halbieren. Die eine Hälfte mit Honig beträufeln. Gepelltes, gehacktes Ei mit einer gewürfelten Tomate, zerkleinerten Radieschen, gehackter Lauchzwiebel, Dill und einem Eßlöffel saurer Sahne mischen. Mit Salz und Pfeffer würzen. Zur anderen Brothälfte servieren.

vormittags Ananasstückchen

mittags Linsensalat

Die gegarten Linsen von gestern abend mit einer gewürfelten Tomate, einem geraspelten Zucchino, zerkleinerten Champignons, Schnittlauchröllchen, Essig, Salz, Pfeffer, gehacktem Bohnenkraut und einem Eßlöffel Öl mischen. Dazu eine Scheibe Vollkornbrot.

nachmittags Joghurt und Orange

abends Ratatouille mit Sahnekartoffeln

Kartoffeln in der Schale garen. Zucchini und Aubergine waschen, putzen und längs in Scheiben schneiden. Tomaten abziehen (siehe Kasten Seite 65) und vierteln, Paprikaschoten putzen und achteln, Zwiebel in dicke Scheiben schneiden. Alle Gemüse portionsweise bei kleiner Hitze im restlichen Öl braten, bis sie weich und leicht gebräunt sind. Schichtweise auf eine tiefe Platte legen. Thymian, gehackten Knoblauch und zwei bis drei Eßlöffel Zitronensaft in die Pfanne geben, erhitzen und über das Gemüse träufeln. Die Hälfte des Gemüses zugedeckt in den Kühlschrank stellen und für morgen mittag aufbewahren.

Die andere Hälfte mit den halbierten Kartoffeln auf einem Teller anrichten. Mit Salz und Pfeffer würzen. Kartoffeln mit saurer Sahne beträufeln.

Gewichtsveränderung: Garen, Keimen

In den Rezepten ist bei Getreidekörnern und Nudeln das Rohgewicht angegeben. Falls Sie mal einen Rest übrig haben, berechnen Sie die Gewichtsmenge so:

– 200 Gramm gegarte, gut abgetropfte Körner oder Nudeln entsprechen etwa 100 Gramm ungekochtem Getreide oder rohen Nudeln.

– Hülsenfrüchte quellen noch stärker: 100 Gramm ungegarte, getrocknete Linsen, Bohnen oder Erbsen wiegen nach dem Garen und Quellen etwa 220 Gramm.

Samen nehmen durch das Keimen ebenfalls an Gewicht zu:

Zehn Gramm Mungobohnen ergeben nach drei Tagen etwa 35 Gramm Sprossen.

Zehn Gramm Alfalfasamen wiegen nach drei Tagen etwa 30 Gramm.

– Getreidekörner und Rettichsamen wiegen nach drei Tagen Keimzeit etwa das Doppelte.

18.Tag Donnerstag

Das brauchen Sie heute:
200 g Dickmilch, 125 g Magerquark, 75 g Joghurt, 2 Eßl. saure Sahne, 10 g Butter, 1/2 Dose weiße Bohnen (abgetropft etwa 150 g), 1 Scheibe Vollkornbrot, 1 Scheibe Knäkkebrot, 20 g Getreideflocken, 2 getrocknete Pflaumen, 1 Teel. kaltgepreßtes Öl, 1 Banane, 1 Apfel, 1 Kiwi, 200 g Tomaten, 1 Kartoffel (etwa 100 g), 80 g Blattsalat, 100 g Zwiebeln, Bohnenkraut, Rosmarin, gemischte Kräuter wie Schnittlauch, Petersilie, Dill und/oder Kerbel, Zitronensaft, Essig, Salz, Pfeffer

morgens Flockenmüsli mit Obst
Zerdrückte Banane mit zerkleinerten Trockenpflaumen und Dickmilch mischen. Flocken darüberstreuen.

vormittags Eine Kiwi

mittags Ratatouille mit Kräuterquark
Quark mit saurer Sahne, gehackten Kräutern, Salz und Pfeffer mischen. Mit der aufbewahrten Ratatouille von gestern und Vollkornbrot servieren.

nachmittags Ein Apfel

abends Überbackene Bohnen, Kartoffeln und Salat
Ofenfeste Form schichtweise mit gehackten Zwiebeln, abgezogenen, gewürfelten Tomaten (siehe Kasten Seite 65) und einer halben Dose abgetropften weißen Bohnen füllen. Jede Schicht mit Salz und Pfeffer würzen, mit Bohnenkraut und Rosmarin bestreuen. Weiche Butter und fein zerkrümeltes Knäkkebrot mit einer Gabel verkneten und über den Bohnen verteilen. Form auf den Rost in den kalten Backofen auf die mittlere Schiene stellen. Gewaschene Kartoffel neben die Form legen. Ofen auf 200 Grad/Gas Stufe 2 1/2–3 schalten. Bohnen und Kartoffel etwa 50 Minuten backen.
Währenddessen Salat putzen, waschen und zerkleinern. Joghurt mit Salz, Pfeffer, Zitronensaft oder Essig und einem Teelöffel Öl verrühren. Salat damit mischen.

Kräuter richtig vorbereiten

Gekaufte frische Kräuter sollten Sie grundsätzlich unter fließendem kaltem Wasser abspülen und danach wieder sehr gut trockentupfen. Selbstgezogene Kräuter brauchen Sie nur zu waschen, wenn Sand oder Erdreste daran haften oder ein paar Läuse draufsitzen. Das Zerkleinern geht am besten auf einem großen Brett mit einem Wiegemesser oder einem scharfen Messer mit breiter Klinge. Geben Sie Kräuter bitte nicht in den Mixer oder elektrischen Blitzhacker: Dadurch würde die zarte Zellstruktur der Blättchen zerstört. Die Kräuter sondern dann zuviel Flüssigkeit ab und schmecken auch nicht mehr so aromatisch.
Bei frischen Kräutern wie Petersilie, Dill, Kerbel, Bohnenkraut, Brunnenkresse und Basilikum sollten Sie auch die Stiele fein hacken und mitverwenden. Sie enthalten Vitamine und Ballaststoffe und sind deshalb viel zu schade zum Wegwerfen. Dagegen kann man von Kräutern mit harten oder holzigen Stielen wie zum Beispiel Thymian und Rosmarin nur die zarten Blättchen essen.

Tip

Den Bohnensalat für morgen mittag (Rezept Seite 94) können Sie heute schon vorbereiten: Rest der abgetropften weißen Bohnen aus der Dose mit Salatsoße (Gemüse und Zwiebel erst vor dem Essen zugeben) mischen und zugedeckt in den Kühlschrank stellen.

19. Tag Freitag

Das brauchen Sie heute:

100 g Magerquark, 1 Eßl. Schlagsahne, 1 Eßl. Crème fraîche, 1/2 Dose weiße Bohnen (abgetropft etwa 150 g), 1 Scheibe Vollkornbrot, 1 Scheibe Knäckebrot, 200 g Seelachs- oder Seehechtfilet, 2 Teel. kaltgepreßtes Öl, 20 g Sonnenblumenkerne, 5 Haselnußkerne, 150 g Weintrauben, 1 Banane, 1 Kiwi, 200 g Kartoffeln, 200 g beliebiges rohes Gemüse (Rest), 50 g Champignons, 1 Möhre, 1 Handvoll Spinat, 2 kleine Zwiebeln, gemischte Kräuter wie Oregano, Thymian, Bohnenkraut, Petersilie und/oder Dill, Zitronensaft, Essig, Senf, Salz, Pfeffer

morgens Traubenquark

Weintrauben halbieren, mit Quark, Schlagsahne und Sonnenblumenkernen mischen. Dazu Knäckebrot.

vormittags Eine Kiwi

mittags Bohnensalat mit Gemüse

Eine Salatsoße aus Essig, Senf, Salz, Pfeffer, gehacktem Oregano, Thymian oder Bohnenkraut und zwei Teelöffel Öl rühren. Mit den abgetropften weißen Bohnen aus der Dose, zerkleinertem Gemüse und einer gehackten Zwiebel mischen. Auf Salatblättern anrichten. Vollkornbrot dazu servieren.

nachmittags Banane und Nüsse

abends Fisch in der Folie

Kartoffeln in der Schale garen. Inzwischen Möhre in feine Stifte, Champignons und Zwiebel in Scheiben schneiden. Fischfilet auf ein Stück Alufolie legen, mit Zitronensaft beträufeln, mit Salz und Pfeffer würzen. Gemüse und gewaschenen Spinat darauf verteilen, mit Crème fraîche beträufeln. Folie so zusammenfalten, daß nichts auslaufen kann, und in einen Topf legen, dessen Boden mit Wasser bedeckt ist. Topf schließen. Fisch bei mittlerer bis kleiner Hitze etwa 15 Minuten garen. Auf einem Teller anrichten und mit gehackter Petersilie oder Dill bestreuen. Kartoffeln dazu servieren.

Bohnensalat mit Gemüse

20. Tag Samstag

Das brauchen Sie heute:
150 ccm Milch, 150 g Joghurt, 50 g Magerquark, 30 g Camembert (50 %), 2 Teel. Honig, 2 Scheiben Vollkornbrot, 100 g Haferkörner, 20 g Getreideflocken, 20 g Sonnenblumenkerne, 1 Eßl. Nußmus, 3 getrocknete Pflaumen, je 1 Eßl. Kichererbsen, Linsen, Rettich- und Alfalfasamen, 1 Teel. kaltgepreßtes Öl, Instant-Gemüsebrühe, 1 Apfel, 200 g frische Ananas, 1 Tomate, 5 Radieschen, 1 kleines Zucchino, 2 Zwiebeln, 1 Knoblauchzehe, Petersilie, Zitronensaft, Paprikapulver, Cayennepfeffer, Salz

morgens Apfelmilch
Getreideflocken ohne Fett bei mittlerer Hitze unter Rühren rösten, bis sie zart duften. In einen Suppenteller geben und mit Honig beträufeln. Apfel schälen, raspeln und zugeben. Milch darübergießen.

vormittags Eine Scheibe Vollkornbrot, mit Nußmus bestrichen.

mittags Herzhafter Camembert
Camembert entrinden und zerdrücken. Mit Quark, einer gehackten Zwiebel, Paprikapulver und gehackter Petersilie mischen. Tomate und Radieschen in Scheiben schneiden. Mit Vollkornbrot zum Käse servieren.

nachmittags Ananasstückchen

abends Haferpilaw mit Dörrpflaumen
Den eingeweichten Hafer mit dem Wasser aufkochen und zugedeckt bei kleiner Hitze eine Stunde garen. Die Menge halbieren. Eine Portion zugedeckt für Dienstag abend in den Kühlschrank stellen. Trockenpflaumen zerkleinern. Zwiebel und Knoblauchzehe hacken und im heißen Öl glasig braten. Zweite Portion Hafer (nicht abgetropft), Pflaumenstückchen, vier Eßlöffel Wasser und einen Teelöffel Instant-Gemüsebrühe zugeben. Aufkochen und zugedeckt 15 Minuten garen. Zucchino putzen, raspeln, untermischen und unter Rühren erhitzen. Sonnenblumenkerne ohne Fett unter Rühren rösten. Pilaw mit Cayennepfeffer und Zitronensaft abschmecken. Mit Sonnenblumenkernen und gehackter Petersilie bestreuen. Joghurt mit Cayennepfeffer würzen und dazu servieren.

Nicht vergessen
Für das Abendessen Haferkörner schon morgens in 200 Kubikzentimeter Wasser einweichen und zugedeckt stehenlassen.

Sprossen eventuell weglassen

Gerichte mit reichlich frisch gekeimten Sprossen sollten Sie erst essen, wenn Sie sich an ballaststoffreiche Kost bereits gewöhnt haben. Auch dann kann es sein, daß Sie Sprossen von Getreide und Hülsenfrüchten nicht so gut vertragen. Versuchen Sie es dann lieber mit leicht verdaulichen Alfalfa-, Rettich- oder Radieschensprossen. Oder Sie lassen Sprossen ganz weg und essen statt dessen frisches Gemüse und Kräuter.

Nicht vergessen

Für das Mittagessen am Dienstag Kichererbsen, Linsen, Rettich und Alfalfasamen getrennt keimen lassen.

21. Tag Sonntag

Das brauchen Sie heute:

1/8 l Milch, 50 g Magerquark, 2 Eßl. saure Sahne, 10 g geriebenen Käse, 200 g Tiefkühl-Suppengemüse, 2 Scheiben Vollkornbrot, 1 Hühnerbrust (mit Knochen, etwa 200 g), 20 g Knusperflokken, 20 g Vollkornnudeln oder Naturreis, etwa 1 Teel. kaltgepreßtes Öl, Instant-Gemüsebrühe, 200 g frische Ananas, 1 Apfel, 2 Möhren, 100 g Porree, 1 Artischocke oder Zucchino (etwa 200 g), 1 Zwiebel, 1 Knoblauchzehe, Petersilie, gemischte Kräuter wie Dill, Kresse und/oder Schnittlauch, 1 Lorbeerblatt, eventuell frisch geriebenen Meerrettich, Zitronensaft, Salz, Pfeffer

morgens Ananasmilch

Milch mit 100 Gramm Ananasstückchen und Knusperflocken in einen Teller geben.

vormittags Möhren-Apfelrohkost

Eine geschabte Möhre und den geschälten Apfel raspeln. Mit gehackter Petersilie, Zitronensaft und einem Tropfen Öl mischen.

mittags Hähnchenbrust mit Gemüse

Drei Achtelliter Wasser mit einem Teelöffel Instant-Gemüsebrühe und Lorbeerblatt aufkochen. Hühnerbrust zugeben und bei kleiner Hitze zehn Minuten garen: In der Brühe sollen immer nur kleine Bläschen aufsteigen. Wenn sie sprudelnd kocht, ist die Hitze zu groß. In diesem Fall etwas kaltes Wasser zugeben. Abgezogene Zwiebel vierteln, Knoblauchzehe halbieren. Möhre schaben und längs vierteln, geputzten, gewaschenen Porree mit etwa zwei Drittel der grünen Blätter in daumenlange Stücke schneiden. Diese Zutaten zum Fleisch geben und weitere fünf Minuten garen. Fleisch vom Knochen lösen und in Stücke schneiden. In einem tiefen Teller mit dem Gemüse anrichten. Etwa einen Achtelliter Brühe darübergießen. Nach Wunsch frisch geriebenen Meerrettich darüberstreuen. Dazu eine Scheibe Vollkornbrot.

nachmittags Ananasstückchen

abends Gemüsesuppe, Artischocke mit Dip

Für die Suppe Nudeln (oder Reis) und Tiefkühl-Suppengemüse in der restlichen Brühe vom Mittag garen. Geriebenen Käse untermischen. Artischocke in Salzwasser etwa 20 Minuten garen, bis sich ein Blatt leicht herausziehen läßt. Oder geputzten, gewasche-

nen Zucchino längs in Scheiben schneiden und bei kleiner bis mittlerer Hitze auf beiden Seiten in einem Teelöffel Öl braten.
Für den Dip Quark mit saurer Sahne, Salz, Pfeffer und Kräutern vermischen. Abgetropfte Artischocke oder Zucchinoscheiben auf einem Teller anrichten. Dip und Vollkornbrot dazu servieren.

Fett hilft Vitamine verwerten

Salate und Rohkost sollten Sie immer mit fetthaltigen Zutaten kombinieren: zum Beispiel ein Butter- oder Käsebrot dazu essen, Nüsse darüberstreuen oder die Salatsoße mit Öl oder Milchprodukten mischen. Pflanzliche Lebensmittel enthalten nämlich verschiedene Vorstufen (Provitamine) zum fettlöslichen Vitamin A. Verwerten kann es der Körper nur, wenn das Gemüse mit etwas Fett gegessen wird.

Vierte Woche

Buchweizenfrikadellen mit Rosenkohl, Gemischter Salat mit Käsewürfeln (Rezepte Seite 102)

22. Tag Montag

(Foto Seite 100/101)

Das brauchen Sie heute:
200 g Dickmilch, 75 g Magerquark, 2 Eßl. saure Sahne, 30 g Gouda- oder Butterkäse (45 %), 1 kleines Ei, 1 Teel. Butter, 150 g Tiefkühl-Rosenkohl, 1 Scheibe Knäckebrot, 2 Vollkornbrötchen, 30 g Buchweizenmehl, 20 g Getreideflocken, 1 Eßl. Nußmus, 1 Eßl. kaltgepreßtes Öl, Instant-Gemüsebrühe, 1 Banane, 1 Mandarine, 200 g Staudensellerie, 100 g Chicorée, 50 g Salatgurke, 2 Möhren, 1 Zucchino, 1 Zwiebel, Kresse, Petersilie, Essig, Zimtpulver, Muskatnuß, Salz, Pfeffer

morgens Dickmilch mit Banane
Flocken bei kleiner Hitze unter Rühren in Butter rösten. Dickmilch, einen Eßlöffel Quark und zerkleinerte Banane mischen. Flocken und Zimt darüberstreuen.

vormittags Vollkornbrötchen mit Gurke
Vollkornbrötchen halbieren, mit einem Teelöffel Quark bestreichen, mit Gurkenscheiben belegen, würzen und mit Kresse garnieren.

mittags Gemischter Salat mit Käsewürfeln
Sellerie, Chicorée, eine Möhre und die Mandarine zerkleinern. Mit saurer Sahne, Essig und Pfeffer mischen. Sellerieblättchen und gewürfelten Käse über den Salat streuen. Dazu ein Vollkornbrötchen.

nachmittags Knäckebrot, bestrichen mit Nußmus.

abends Buchweizenfrikadellen mit Rosenkohl
Restlichen Quark mit gehackter Zwiebel, Ei, Salz, Muskat und Pfeffer verrühren. Buchweizenmehl darunterkneten. Aus dem Teig Frikadellen formen und in heißem Öl auf beiden Seiten insgesamt etwa zehn Minuten braten. Inzwischen Rosenkohl mit etwas Wasser und einer Messerspitze Instant-Gemüsebrühe aufkochen und zugedeckt 10 bis 15 Minuten garen. Zucchino und Möhre putzen bzw. schaben und raspeln. Mit gehackter Petersilie unter den Rosenkohl mischen, aber nicht mehr garen. Gemüse zu den Pflänzchen servieren.

Gemüse nach Belieben wählen

Gemüse ist in allen Rezepten austauschbar: Wählen Sie, was Sie gerade zur Hand haben, was Ihnen am besten schmeckt und was es der Jahreszeit entsprechend frisch gibt (siehe Seite 40/41). Auch tiefgefrorenes Gemüse können Sie verwenden; die Qualität entspricht der von Frischgemüse. Frische Tomaten gibt es nicht immer in guter Qualität. Treibhausware im Winter schmeckt ohnehin nicht gut, und importierte Tomaten haben ebenfalls meist wenig Aroma. Nehmen Sie zum Dünsten statt dessen lieber geschälte Tomaten aus der Dose. Achten Sie bitte auf die Zutatenliste: Den Tomaten sollen weder Salz noch Konservierungsstoffe zugesetzt sein.

23. Tag Dienstag

Das brauchen Sie heute:
150 g körnigen Frischkäse, 150 g Joghurt, 2 Eßl. Schlagsahne, 1 Beutel Apfeltee, 1 Essiggurke, 1 Scheibe Vollkornbrot, 2 Scheiben Knäckebrot, 1 getrocknete Pflaume, 2 Eßl. kaltgepreßtes Öl, Instant-Gemüsebrühe, 1 Orange, 1 Banane, 50 g Champignons, 1 Paprikaschote, 1 Möhre, 1 große Tomate, 1 Zwiebel, Petersilie, Schnittlauch, gemischte Kräuter wie Dill, Basilikum und/oder Kresse, Zitronensaft, Essig, Senf, Salz, Pfeffer

morgens Herzhafter Frischkäse
Etwa 100 Gramm körnigen Frischkäse mit einer halben gewürfelten Paprikaschote, gehackter Essiggurke und Petersilie mischen. Mit Salz und Pfeffer abschmecken. Dazu zwei Scheiben Knäckebrot.

vormittags Eine Orange

mittags Sprossensalat
Apfeltee mit einer halben Tasse kochendem Wasser übergießen und zehn Minuten ziehen lassen. Mit Essig, Senf, Salz, Pfeffer und einem Eßlöffel Öl verrühren. Möhre schaben und raspeln. Mit den Sprossen (seit Samstag gekeimt), Schnittlauchröllchen und Salatsoße mischen. Dazu Vollkornbrot, bestrichen mit dem restlichen Frischkäse.

nachmittags Früchtejoghurt
Joghurt mit zerdrückter Banane und zerkleinerter Trockenpflaume mischen.

abends Hafer mit Pilzen, Tomaten-Paprikasalat
Gehackte Zwiebel und aufbewahrten Hafer vom Samstag in einem Teelöffel Öl anbraten. Zwei Eßlöffel Wasser und einen halben Teelöffel Instant-Gemüsebrühe untermischen. Aufkochen und zugedeckt bei kleiner Hitze 15 Minuten garen. In Scheiben geschnittene Champignons und Schlagsahne zugeben und unter Rühren erhitzen. Mit Salz, Pfeffer und Zitronensaft abschmecken. Mit frischen Kräutern bestreut servieren.
Für den Salat Stielansatz der Tomate entfernen (siehe Kasten Seite 65), Tomate quer zu den Samenkammern in Scheiben schneiden. Rest der Paprikaschote vom Frühstück in Streifen schneiden. Beide

Zutaten auf einem Teller anrichten, mit Schnittlauchröllchen, Salz und Pfeffer bestreuen. Essig und einen Teelöffel Öl darüberträufeln.

Obst und Gemüse stückweise gewogen

In den Rezepten ist Obst und Gemüse am Stück immer mittelgroß. Außer es wird „groß“ oder „klein“ angegeben. Hier ist das ungefähre Gewicht aufgelistet:

Apfel, Birne, Pfirsich:
klein: 120 g; mittel: 150 g; groß: 200 g
Banane:
klein: 125 g; mittel: 150 g; groß: 200 g
Orange:
klein: 140 g; mittel: 175 g; groß: 250 g
Tomate, Zucchino:
klein: 80 g; mittel: 100–125 g; groß: 150–175 g (noch größere Zucchini schmecken nicht mehr so gut)
Möhre:
klein: 40 g; mittel: 70 g; groß: 100 g
Kartoffel, Kohlrabi, rote Bete:
klein: 90 g; mittel: 150 g; groß: 250 g
Paprikaschote, Aubergine:
klein: 100 g; mittel: 200 g; groß: 300 g
Porreestange:
klein: 60 g; mittel: 150 g; groß: 250 g
Fenchelknolle:
klein: 150 g; mittel: 220 g; groß: 300 g.

24. Tag Mittwoch

Das brauchen Sie heute:
50 g saure Sahne, 75 g Mozzarellakäse, 30 g Kochkäse (30 %) oder 15 g Camembert (40 %), 1 Eßl. körnigen Frischkäse, 10 g Butter, 1 Scheibe Vollkornbrot, 3 Scheiben Knäckebrot, 60 g gegartes Roastbeef, 50 g Vollkornnudeln, 3 Haselnußkerne, 10 g Korinthen, 3 getrocknete Pflaumen, 1 Teel. kaltgepreßtes Öl, 1 Apfel, 1 Orange, 300 g Tomaten, 200 g Salatgurke, 100 g Rettich, 1 Lauchzwiebel, 1 Zwiebel, 1 Knoblauchzehe, 1 Kästchen Kresse, Oregano, Salz, Pfeffer

morgens Obst mit Frischkäsebrot
Einen halben geschälten Apfel und die Orange zerkleinern. Mit Korinthen und gehackten Nüssen mischen. Dazu eine Scheibe Knäckebrot, mit körnigem Frischkäse bestrichen.

vormittags Knäcke mit Käse
Zwei Scheiben Knäckebrot mit Butter bestreichen. Kochkäse oder Camembert in Scheiben schneiden und auf die Brote legen. Lauchzwiebel putzen, waschen, in Ringe schneiden und auf dem Käse verteilen. Mit Salz und Pfeffer bestreuen und mit einer Tomate anrichten.

mittags Roastbeef mit Rettich
Rettich schälen, in Scheiben schneiden und auf einem Teller anrichten. Mit etwas Salz, Pfeffer und mit gehackten Rettichblättern bestreuen. Roastbeefscheiben und Vollkornbrot dazu servieren.

nachmittags Rest vom Apfel und getrocknete Pflaumen

abends Nudeln mit Tomaten und Mozzarella, Gurkensalat mit Kresse
Vollkornnudeln in reichlich Salzwasser bißfest garen. Inzwischen Mozzarellakäse würfeln. Tomaten abziehen (siehe Kasten Seite 65) und hacken. Mit gehackter Zwiebel und einem Eßlöffel Nudelkochwasser, Pfeffer und Oregano in einem Topf unter Rühren zwei Minuten dünsten. Mozzarellawürfel bei kleiner bis mittlerer Hitze unter Rühren darin auflösen. Abgetropfte Nudeln damit mischen. Für den Salat Gurke schälen und raspeln. Mit saurer Sahne, fein gehacktem Knoblauch, Salz, Pfeffer und Öl mischen. Kresse über den Salat streuen.

Kochwasser weiterverwenden

Das Kochwasser von Vollkornnudeln oder von Gemüse, das man in reichlich Wasser gart (wie z. B. Spargel oder grüne Bohnen), enthält Nähr- und Mineralstoffe. Sie sollten es deshalb möglichst nicht weggießen, sondern zum Garen von Getreide, für selbstgekochte Gemüsebrühe oder für Suppen verwenden, die Sie zusätzlich noch mit etwas Instant-Gemüsebrühe würzen können. Das gesalzene Wasser eignet sich übrigens auch sehr gut zum Quellen und Kochen von Hülsenfrüchten – sie schmecken damit besonders aromatisch. Für das Weichwerden von Hülsenfrüchten spielt die Zugabe von Salz nämlich keine Rolle. Erbsen, Bohnen oder Linsen, die selbst bei langem Garen hart bleiben, wurden entweder zu lange gelagert, oder das Wasser aus der Leitung enthält zuviel Kalk. In diesem Fall können Sie das Wasser vorher abkochen, oder Sie nehmen einfach Hülsenfrüchte aus der Dose.

25. Tag Donnerstag

Das brauchen Sie heute:

150 g Joghurt, 3 Eßl. Schlagsahne, 1 Teel. Crème fraîche, 75 g Mozzarellakäse, 30 g geriebenen Käse, 1 Ei, 2 Scheiben Vollkornbrot, 20 g Weizenkörner, 1 Eßl. kaltgepreßtes Öl, 1 Banane, 1 Apfel, 350 g Salatgurke, 300 g Tomaten, $1^{1}/_{2}$ Fenchelknollen (330 g), 1 Paprikaschote, 4 Radieschen, 1 Möhre, 1 rote Zwiebel, Schnittlauch, gemischte Kräuter wie Petersilie, Dill und/oder Kerbel, Zitronensaft, Essig, Salz, Pfeffer

Nicht vergessen

Weizenkörner grob schroten, mit Joghurt verrühren und zugedeckt für das Müsli morgen früh in den Kühlschrank stellen.

morgens Gefüllte Tomate

Ei hart kochen, pellen und hacken. Von einer großen Tomate einen Deckel abschneiden. Fruchtfleisch mit einem Teelöffel herausholen und zerkleinern. Mit Ei, gehackten Kräutern, Crème fraîche, Salz und Pfeffer mischen und wieder in die Tomate füllen. Dazu eine Scheibe Vollkornbrot.

vormittags Eine Banane

mittags Gemüsesalat mit Mozzarella

Paprikaschote, Tomate, etwa 200 Gramm Salatgurke, Möhre, Zwiebel und Radieschen zerkleinern. Mit gewürfeltem Mozzarellakäse, Schnittlauchröllchen, Essig, Salz und Pfeffer und Öl mischen. Dazu Vollkornbrot.

nachmittags Ein Apfel

abends Fenchelgratin, Gurkensalat

Geputzten Fenchel waschen und in Achtel schneiden. In kochendem Salzwasser fünf Minuten garen. Abgetropft in eine ofenfeste Form legen. Gehackte Fenchelblättchen, Pfeffer, Schlagsahne und geriebenen Käse darübergeben. Im vorgeheizten Backofen bei 200 Grad/Gas Stufe $2^{1}/_{2}$–3 etwa 15 Minuten backen. Für den Salat geschälte Gurke raspeln, mit Dill, Schlagsahne, Zitronensaft, Salz und Pfeffer mischen.

Fenchelgratin, Gurkensalat

26. Tag Freitag

Das brauchen Sie heute:

150 g Magerquark, 6 Eßl. Milch, 1 Eßl. saure Sahne, 1 Eßl. Schlagsahne, 1 Essiggurke, 1 Teel. Kapern, 1 Scheibe Vollkornbrot, 2 Scheiben Knäckebrot, 200 g Kabeljaufilet, 20 g Sonnenblumenkerne, 10 g Sesamsamen, 1/2 Eßl. Nußmus, 1 Eßl. kaltgepreßtes Öl, 1 großer Apfel, 1 Nektarine, 200 g Kartoffeln, 150 g Rettich, 1/2 Fenchelknolle, 5 Radieschen, 1 kleine Zwiebel, Zitronensaft, Schnittlauch, Salz, Pfeffer

morgens Schrotmüsli mit Obst
Eingeweichtes Schrot von gestern abend mit geschältem, zerkleinertem Apfel, Sonnenblumenkernen und zwei Eßlöffel Milch mischen.

vormittags Eine Scheibe Knäckebrot, bestrichen mit Nußmus.

mittags Radieschenquark
100 Gramm Quark mit Milch glattrühren. Zerkleinerte Radieschen, Sesam, Salz und Pfeffer untermischen. Auf dem Vollkornbrot verteilen und mit Schnittlauchröllchen bestreuen.

nachmittags Eine Nektarine

abends Gebratener Fisch mit Quarksoße, Rettich-Fenchelsalat
Kartoffeln in der Schale garen. Knäckebrot fein zerkrümeln. Fisch mit Zitronensaft beträufeln, mit Salz und Pfeffer würzen. Im Knäckebrot wenden und im Öl pro Seite etwa drei Minuten bei kleiner bis mittlerer Hitze braten. Restlichen Quark mit saurer Sahne, gewürfelter Essiggurke, gehackter Zwiebel und Kapern mischen. Mit Salz und Pfeffer abschmekken.
Für den Salat geschälten Rettich raspeln, mit zerkleinertem Fenchel, Schnittlauchröllchen, Schlagsahne, Salz und Pfeffer mischen.

Obst nach Belieben wählen

Bei Obst können Sie fast immer die Sorte wählen, die Sie am liebsten mögen. Vor allem sollte das Obst dem Angebot der Jahreszeit entsprechen (siehe Seite 40/41): Erdbeeren schmecken im Winter nicht gut und Pflaumen nicht im Frühling. Die Früchte stammen ja entweder aus dem Treibhaus und/oder werden unreif gepflückt, um die oft langen Transportwege heil zu überstehen. In beiden Fällen stimmen Nährstoffgehalt, Aroma und Geschmack nicht. Nicht austauschen sollten Sie Bananen und Weintrauben, da beide Früchte zuckerreich sind, das heißt also viele, leicht lösliche Kohlenhydrate enthalten, die zwar schnell satt machen, aber nicht lange vorhalten. Achten Sie beim Austauschen bitte auf das Gewicht der Frucht: zwei Mandarinen also durch nur *einen* Pfirsich ersetzen. Bei Früchten spielt die Menge eine größere Rolle als bei Gemüse, da Obst mehr Zucker enthält.

27. Tag Samstag

Das brauchen Sie heute:

200 g Dickmilch, 75 g Joghurt, 50 g griechischen Schafkäse, 10 g Butter, 1 Teel. Honig, 1 Scheibe Knäckebrot, 1 Vollkornbrötchen, 10 g Getreideflocken, 5 Haselnußkerne, 1/2 Eßl. kaltgepreßtes Öl, Instant-Gemüsebrühe, 1 Apfel, 1 Banane, 1 Nektarine, 250 g Erdbeeren, 200 g Kartoffeln, 500 g grünen oder weißen Spargel (ersatzweise Zucchini oder grüne Bohnen), 2 kleine Zucchini, 2 große Tomaten, 1 Möhre, Kresse, Schnittlauch, Petersilie, Dill, Kerbel, Zitronensaft, Essig, Salz, Pfeffer

morgens Dickmilch mit Obst

Geschälten Apfel und Banane zerkleinern, mit Dickmilch, Honig und Flocken mischen.

vormittags Erdbeeren und Haselnußkerne

mittags Marinierter Spargel

Spargel schälen und in Wasser mit Salz bißfest garen. Stangen herausnehmen, abtropfen lassen und möglichst nebeneinander in eine flache Schüssel legen. Eine bis zwei Schöpfkellen Spargelbrühe mit Essig, Salz, Pfeffer und Öl verrühren. Über den Spargel gießen. Spargel lauwarm abkühlen lassen. Kartoffeln in der Schale garen. Spargel mit geraspelter Möhre und Kresse bestreuen. Kartoffeln mit Butter dazu servieren.

nachmittags Eine Nektarine

abends Gratiniertes Gemüse

Zucchini und Tomaten in Scheiben schneiden und dachziegelartig in eine ofenfeste Form schichten. Mit zwei Eßlöffel Spargel- oder Gemüsebrühe beträufeln. Schafkäse und Knäckebrot fein zerkrümeln und darüberstreuen. Mit Salz und Pfeffer würzen. In den vorgeheizten Backofen schieben und bei 220 Grad/Gas Stufe 3 etwa 20 Minuten backen. Joghurt mit Zitronensaft, gehackten Kräutern, Salz und Pfeffer vermischen. Mit dem Brötchen zum Gemüse servieren.

Marinierter Spargel

28. Tag Sonntag

Das brauchen Sie heute:

225 g Joghurt, 2 Eßl. Milch, 2 Eßl. Schlagsahne, 10 g geriebenen Käse, 10 g Butter, 1 Teel. Honig, 1 Scheibe Knäckebrot, 1 Vollkornbrötchen, 10 g Knusperflocken, 20 g Nußkerne, 1/2 Eßl. Sonnenblumenkerne, 1 1/2 Eßl. kaltgepreßtes Öl, 450 g Erdbeeren oder Himbeeren, 300 g kleine Kartoffeln, 200 g Tomaten, 150 g Blattsalat, 50 g Salatgurke, 3 Radieschen, 2 Champignons, 1 Möhre, 1 Lauchzwiebel, Schnittlauch, Basilikum, Majoran, Essig, Senf, Salz, Pfeffer

morgens Joghurt mit Beeren und Flocken
Joghurt mit Honig und Sonnenblumenkernen verrühren. 200 Gramm Beeren untermischen, Flocken darüberstreuen.

vormittags Gurkenknäcke
Knäckebrot mit etwa der Hälfte der Butter bestreichen, mit Gurkenscheiben belegen und mit Schnittlauchröllchen bestreuen.

mittags Ofenkartoffeln mit Käsekruste, Tomatensalat
Kartoffeln waschen, halbieren und mit den Schnittflächen nach oben in eine ofenfeste Form legen. Mit Salz und Pfeffer bestreuen. Einen Eßlöffel Schlagsahne mit Käse und Majoran verrühren und über den Kartoffeln verteilen. Form in den kalten Backofen schieben. Ofen auf 180 Grad/Gas Stufe 2 1/2 schalten. Kartoffeln etwa eine Stunde backen, bis sie weich sind.
Für den Salat Tomaten würfeln, mit gehackter Lauchzwiebel, Basilikum, Salz, Pfeffer und einem Teelöffel Öl vermischen.

nachmittags Beerendrink
Beeren mit Milch und Joghurt pürieren.

abends Blattsalat mit Nüssen
Salat putzen, waschen und zerpflücken. Radieschen, Möhre, Champignons waschen und zerkleinern. Mit Salat und gehackten Kräutern mischen. Eine Salatsoße aus Essig, Senf, Schlagsahne, Salz, Pfeffer und Öl rühren und über den Salat gießen. Gehackte Nüsse ohne Fett bei kleiner Hitze rösten und über den Salat streuen. Alles vorsichtig mischen. Halbiertes Vollkornbrötchen mit Butter bestreichen und zum Salat servieren.

Milchprodukte sollten frisch sein

Bei der Vollwertdiät brauchen Sie reichlich Milchprodukte: mit Kartoffeln, Getreide, Vollkornnudeln oder -brot kombiniert, liefern sie hochwertiges Eiweiß, das der Körper besonders gut verwerten kann. Achten Sie beim Kauf von Milch und Schlagsahne, Quark und Joghurt, Crème fraîche und saurer Sahne auf das Mindesthaltbarkeitsdatum, und wählen Sie die Packung mit der längsten Frist; das Lebensmittel soll ja möglichst lange frisch bleiben, vor allem, wenn Sie es allein in kleinen Tagesportionen essen.

Stellen Sie Ihren vollwertigen Diätplan selbst zusammen

Wenn Sie bei diesem Buchteil angelangt sind, haben Sie wahrscheinlich schon eine Weile nach den Tagesplänen gegessen und wollen – weil's so gut geklappt hat – mit den Rezepten (ab Seite 126) weitermachen. Oder Sie mögen sich nicht strikt an Pläne halten, sondern von vornherein lieber selbst bestimmen, was Sie essen.

Was Sie über Ernährung wissen sollten, um selbst Ihre persönliche Diät ausgewogen zu gestalten, steht auf den folgenden Seiten. Danach finden Sie vier Beispiele für einen täglichen Speisezettel – jeweils fünf Mahlzeiten, die, miteinander kombiniert, wenig Energie, aber so viele Nährstoffe liefern, wie Sie zum Wohlfühlen brauchen (siehe Seite 124).

Bevor Sie mit Ihrer Diät beginnen, sollten Sie – möglichst am Wochenende – Ihren Körper durch einen Trink- und einen Fasttag (siehe Seite 48) auf die neue Ernährung vorbereiten.

Aus dem umfangreichen Rezeptteil wählen Sie dann, was Ihnen schmeckt und was Sie am liebsten kochen. Sie finden Gerichte für den ganzen Tag: Süßes und Herzhaftes für das Frühstück, leichte Salate, Rohkost, Suppen und Eintöpfe für den kleinen Imbiß, warme und kalte Hauptmahlzeiten für Mittag- und/oder Abendessen. Außerdem Desserts, einige süße Hauptgerichte und eine Reihe von Zwischenmahlzeiten mit jeweils 100 Kalorien.

Alle Rezepte sind innerhalb der einzelnen Kapitel nach ihrer Kalorienanzahl geordnet, so daß die Energieberechnung für jeden Tag ganz einfach ist.

Bei den Tagesplänen des ersten Buchteils wurden Sie immer daran erinnert, rechtzeitig Sprossen keimen zu lassen oder morgens Getreide für das Abendessen einzuweichen. Bitte achten Sie nun bei der Auswahl der Rezepte selbst auf die notwendige

Vorbereitung. Vollwertig zu kochen macht zwar nicht mehr Arbeit, erfordert aber etwas mehr Planung als normales Kochen. Angaben zum Abmessen der Zutaten finden Sie auf Seite 71.

Wenn Sie über eine Zutat mehr wissen möchten, schlagen Sie bitte im Register nach. Dort ist angegeben, auf welcher Seite ausführlich über sie informiert wird. Unter dem Stichwort „Tip" finden Sie Hinweise auf wichtige Zusatzinformationen, die Ihnen Einkauf und Arbeit erleichtern.

Für den Fall, daß Sie gar nicht (mehr) abnehmen, sondern nur weiterhin gesünder essen wollen, benutzen Sie diesen Buchteil wie ein normales Kochbuch und suchen die Rezepte aus, die Sie ausprobieren möchten. Da Sie Ihren persönlichen Energiebedarf kennen, spielen die Kalorien, die über den Rezeptgruppen stehen, für Sie keine Rolle (mehr).

Die Zutaten sind auch hier bei allen Gerichten für eine Person berechnet. Häufig ist es ja zuerst einer in der Familie, der sich für die neue Form der Diät interessiert, sie ausprobiert und schließlich auch die anderen dafür begeistert.

Wenn Ihre Familie mitmachen will, kochen Sie einfach mehr: Die Zutaten werden je nach Personenzahl mal zwei, drei, vier oder mehr genommen. Oder Sie machen es so: Wählen Sie zum Beispiel fürs Mittagessen als Vorspeise einen Salat mit 200 Kalorien und ein Hauptgericht mit 400 Kalorien. Für vier Personen verdoppeln Sie jeweils die Mengen – mal vier genommen, wären die Portionen für normale Esser zu groß –, und schon haben Sie ein Essen mit zwei Gängen, das pro Person nur 300 Kalorien liefert. Wer mehr essen will, kriegt noch eine Suppe und/oder ein Dessert.

Auf diese simple Weise können Sie natürlich auch Gäste bewirten – und damit noch ein paar Leute mehr von den kulinarischen Vorzügen einer Ernährung überzeugen, die satt und fit, aber nicht schlapp macht, die abnehmen hilft und gesund erhält.

Warum auch nach der Diät vollwertig essen?

Richtig essen wird offenbar immer komplizierter. Zwar sind unsere Teller reich gefüllt, aber alle Fakten, Warnungen und Katastrophenmeldungen hindern uns daran, das einfach zu genießen. Die Fakten: Wir essen zu viel, zu fett und zu süß. Warnungen: Falsche Ernährung kann alle möglichen Krankheiten (mit)verursachen. Katastrophenmeldung Nummer eins: Fast alles, was wir essen, enthält so viele Schadstoffe, daß uns der Appetit völlig vergehen müßte.

Was ist dran an alledem? Es stimmt, daß die meisten Menschen sich falsch ernähren und daß eine Reihe von Krankheiten darin (mit)begründet ist. Nur mit den Katastrophenmeldungen ist es so eine Sache: Wenn wir alles ernst nehmen, können wir gar nichts mehr essen. Denn es gibt kein Lebensmittel mehr, das gänzlich frei ist von schädlichen Rückständen. Auch der Bio-Bauer ist ja machtlos gegen die Verschmutzung der Luft und des (Regen-)Wassers, das wiederum die Böden schädigt.

Was können wir also tun? Bewußter essen, als wir es bisher vielleicht gewöhnt waren. Nicht nur während einer begrenzten Diätphase. Denn essen soll uns ja gesund erhalten, nicht krank machen. Wir können entscheiden, was wir essen wollen. Schmeckt uns der Suppensnack aus dem Supermarkt denn wirklich? Oder das abgepackte (vegetarische) Fertiggericht aus dem Reformhaus? Wir können mehr auf die Qualität dessen achten, was wir einkaufen, und weniger darauf, wieviel wir für wenig Geld bekommen. Wir können uns klarmachen, daß unser Überfluß im wahrsten Sinne des Wortes künstlich erzeugt wird. Selbst wenn es uns gleichgültig ist, wie das Huhn in der Legebatterie und das Schwein beim Züchter lebt – auch wir zahlen unseren Preis für das billige Frühstücksei und das Schnitzel im Sonderangebot: indem wir unserem Körper mehr Schadstoffe zumuten, als ihm lieb sein kann.

Was ist vollwertig essen?

Bei der Vollwertkost spielt daher die Klasse eine Rolle, nicht die Masse. Denn mit zwei oder drei wertvollen Lebensmitteln bei einer Mahlzeit kann der Körper so viel anfangen, daß man gar nicht in Versuchung kommt, zuviel zu essen. Daher ist es kein Problem, nach der Diät Ihr Wunschgewicht zu halten, wenn Sie weiterhin vollwertig essen.

Vollwertig essen heißt:

1) viele Lebensmittel mit hoher Nährstoffdichte essen. Das macht angenehm satt, und Sie reduzieren automatisch den Anteil an energie-, sprich: kalorienreichen Lebensmitteln. Verzichten müssen Sie auf den Riegel Schokolade oder die Currywurst nicht ganz. Sie sollten das allerdings so oft wie möglich durch etwas Nährstoffreiches wie (Trocken-)Obst und Nüsse oder Getreidefrikadellen mit Salat ersetzen. Beim Test hat sich übrigens gezeigt, daß man allmählich das „Gesunde" lieber mag;

2) viele Lebensmittel wählen, die so wenig wie möglich bearbeitet sind. Denn bearbeiten heißt verändern. Und beim Verändern fällt manches Wertvolle weg: weißes Auszugsmehl zum Beispiel hat kaum noch Ballaststoffe. Oder es kommt Unnützes hinzu: zum Beispiel Konservierungsstoffe;

3) mit fett- und zuckerreichen Lebensmitteln sparen, weil sie dem Körper eine ganze Menge Energie liefern, die er gar nicht verwerten kann. Und das Zuviel wandelt er ja um – in Fettpölsterchen;

4) weniger Fleisch, dafür mehr pflanzliche Lebensmittel essen. Zwar kann der Körper das Eiweiß aus tierischen Lebensmitteln am besten verwerten. Fleisch enthält jedoch auch viel Fett und – wie Eier – Cholesterin. Aus pflanzlichen Lebensmitteln wie vor allem Getreide, Vollkornprodukten, Hülsenfrüchten, Tofu, Kartoffeln und Nüssen baut der Körper aber ebenfalls genügend Eiweiß auf. Dazu bekommt er auch noch das, was in Fleisch, Fisch und Eiern so gut wie gar nicht drin ist: schnell sättigende Kohlenhy-

drate und verdauungsfördernde Ballaststoffe. Inzwischen weiß man auch, daß zuviel Eiweiß schaden kann. Deshalb muß Fleisch nicht unbedingt sein. Fisch dagegen sollten Sie immer wieder mal essen. Er ist notwendig für den Vitamin-D-Bedarf und – bei überwiegend vegetarischer Kost – für die Versorgung mit Vitamin B_{12}. Außerdem liefert er besonders wertvolle Fettsäuren und sehr leicht verdauliches Eiweiß. Auch braucht der Körper ab und zu Eier, vor allem aber reichlich Milchprodukte, denn sie helfen, das Pflanzeneiweiß genausogut zu verwerten wie Eiweiß aus Fleisch;

5) bei einer Mahlzeit pflanzliche und tierische Lebensmittel so kombinieren, daß sie sich im Nährwert besonders gut ergänzen, satt machen und die Verdauung auf Trab bringen. Gute Kombinationen:

- Getreide/Vollkornprodukte mit Hülsenfrüchten/Tofu, Nüssen, Milchprodukten oder Eiern
- Hülsenfrüchte/Tofu mit Getreide/Vollkornprodukten, Nüssen, Milchprodukten oder Eiern
- Kartoffeln mit Milchprodukten oder Eiern;

6) abwechslungsreich esssen, damit der Körper alles bekommt, was er braucht, selber Abwehrkräfte bilden kann und nicht so viele Schadstoffe von einer Sorte ansammelt;

7) reichlich, das heißt mindestens zweimal pro Tag Rohkost essen. Also frisches Obst zwischendurch, und Gemüse als Salat angemacht. Sie können auch ein warmes Gericht mit roh geraspeltem Gemüse, frisch gehackten Kräutern oder Nüssen bestreuen.

Kohlenhydrate, die fit machen

Kohlenhydrate, Hauptbestandteil fast aller pflanzlichen Lebensmittel, sind die wichtigsten Energielieferanten. Sie machen satt. Ob sie auch fit machen, hängt von der Art der Kohlenhydrate ab. Günstig für die Ernährung sind nämlich nur die sogenannten komplexen Kohlenhydrate: Stärke und Ballaststoffe. Stärke braucht der Körper zum Wohlfühlen und für

eine ausgeglichene Energiebilanz. Bei der Verdauung wandelt er sie zuerst in (leicht löslichen) Zucker um, der vom Blut aufgenommen und in Leber und Muskeln transportiert wird. Dort lagert er ihn als Energievorrat, der bei Bedarf abgerufen werden kann. Stärkehaltige Lebensmittel wie Getreide, Vollkornprodukte, Hülsenfrüchte und Kartoffeln werden langsam verdaut, und das erzeugt nach und nach das angenehme Gefühl des Sattseins.
Bei Lebensmitteln, die vorwiegend leicht löslichen Zucker enthalten – vor allem Süßigkeiten –, geht das viel rascher, denn der Zucker gelangt ja gleich ins Blut. Der Körper kann bei dieser Geschwindigkeit nicht mithalten und schüttet Insulin aus: Dadurch sinkt der Blutzuckerspiegel rapide. Ein niedriger Blutzuckerspiegel jedoch ist das Signal für „Hunger". Der Effekt: Man ißt zuviel und kriegt doch zu wenige Nährstoffe. Das ist bei stärkehaltigen Lebensmitteln genau umgekehrt: sie liefern Energie in Maßen, aber eine ganze Menge Nährstoffe.

Ballaststoffe machen schlank

Ballaststoffe, die für den Menschen unverdaulichen Pflanzenteile, gehören ebenfalls zu den komplexen Kohlenhydraten. Sie sind für die Ernährung genauso wichtig wie Stärke, weil sie
– den Magen füllen, so daß auch energiearmes Essen wie z. B. Rohkost sättigt;
– nützlichen Darmbakterien als Nahrung dienen, somit die gesunde Darmflora unterstützen;
– die Nahrung rasch durch den Darm transportieren und ausscheiden helfen, außerdem im Darm Schadstoffe an sich binden und ebenfalls schnell wieder nach draußen befördern.
Ballaststoffe, die in Gemüse und Obst enthalten sind, senken den Cholesterinspiegel. Essen Sie also reichlich Getreide und Hülsenfrüchte, Gemüse und Obst. Und keine Angst vor den Kalorien: etwa ein Drittel davon kann der Körper gar nicht nutzen.

Worauf Sie bei der Auswahl der Rezepte achten sollten

Abnehmen braucht seine Zeit: Wer sich schnell viele Pfunde runterhungert, hat sie ebenso schnell wieder drauf, und der Frust ist größer als zuvor. Daran sollten Sie denken, wenn Sie selbst Ihren täglichen Speiseplan zusammenstellen.

Was Diäthalten heißt und was man beachten muß, steht ausführlich auf Seite 8 bis 13 beschrieben. Deshalb hier nur noch einmal das Wichtigste:

– Entscheiden Sie selbst, wieviel Sie essen wollen. Und überlegen Sie genau, wieviel Sie brauchen. Also: bitte nicht hungern, sondern so vernünftig essen, daß Sie sich wohl fühlen und zwischen den Mahlzeiten gar nicht ans Essen denken müssen. Daß man andererseits beim Essen maßhalten und sich nicht vollstopfen sollte, versteht sich bei einer Diät von selbst.

– Pro Tag nur ein süßes Gericht wählen – entweder als Hauptmahlzeit (dazu zählt auch das Frühstück) oder Zwischengericht. Wenn Sie zusätzlich den Wunsch nach Süßem verspüren, essen Sie bitte Obst.

– Pro Tag nur eine warme Mahlzeit essen. Der Rest sollte kalt sein, damit Sie auch genügend Rohkost bekommen.

– Vor den warmen Hauptmahlzeiten ebenfalls etwas roh geraspeltes Gemüse essen – wie bei den Tagesplänen auf der nächsten Seite beschrieben. Durch den hohen Gehalt an ätherischen Ölen, Aroma- und Geruchsstoffen regt Rohkost zwar den Appetit an. Doch das schadet überhaupt nicht: Der Körper bereitet sich auf die Mahlzeit vor und kann leichter verdauen. Außerdem enthält Rohkost wenig Kalorien, aber reichlich Ballaststoffe, die das Hungergefühl zügeln, weil sie den Magen füllen.

– Pro Woche möglichst ein Fischgericht essen, damit der Bedarf an Vitamin D und B_{12} stimmt.

– Pro Woche möglichst nur ein Fleischgericht – als Imbiß oder Hauptmahlzeit – wählen. Wenn Sie mehr Fleisch essen, lassen Sie automatisch andere wertvolle und ballaststoffreiche Lebensmittel weg: Vollkornprodukte und Getreide, Hülsenfrüchte und Kartoffeln, Obst und Gemüse.

– Viel Abwechslung in die Mahlzeiten bringen. Selbst wenn Ihnen ein Gericht besonders gut schmecken sollte: Bitte essen Sie es nur einmal während einer vierwöchigen Diät. Mit abwechslungsreichem Essen bekommen Sie viele Nährstoffe und nur wenige Schadstoffe von einer Sorte.

Ihr Speiseplan – richtig zusammengestellt

1000 Kalorien pro Tag sind genau richtig, wenn Sie – etwa nach dem Urlaub – ein paar Ernährungssünden wiedergutmachen wollen. Ein Tag mit genügend Nährstoffen zum Fitsein und reichlich Rohkost zur Entschlackung und zum Sattwerden könnte dann so aussehen:
– morgens: Tomaten-Käsebrot (Seite 128);
– vormittags: je eine zerkleinerte Birne und Möhre, einen Eßlöffel saure Sahne und einen Teelöffel Honig mischen;
– mittags: Müsli mit Flocken (Seite 132) *oder* Bulgur-Gemüsesalat (Seite 140);
– nachmittags: eine Kiwi und fünf Haselnußkerne;
– abends: Bohneneintopf mit roter Bete (Seite 142). Vorweg eine Portion zerkleinertes Gemüse, vermischt mit Salz, Pfeffer, Zitronensaft oder Essig und einem Tropfen Öl.

1100 Kalorien pro Tag können Sie etwa zwei Monate lang essen, wenn Sie Ihre Ernährung bewußt umstellen und herausfinden wollen, wieviel Ihr Körper mindestens braucht. Zwar stimmen die Nährstoffe, aber für größere Frauen und für die meisten Männer ist diese Energiemenge über einen längeren Zeitraum knapp bemessen.:
– morgens: Müsli mit Schrot (Seite 131);
– vormittags: 200 Gramm Obst;
– mittags: Blattsalat mit Vollkornbrösel (Seite 138), dazu eine Scheibe Vollkornbrot mit zwei Eßlöffel körnigem Frischkäse, geraspeltem Rettich und frischen Kräutern belegt;
– nachmittags: eine Banane;
– abends: Getreidesuppe mit Gemüse und Fleisch (Seite 142) *oder* Kichererbsen-Sprossencurry (Seite 145), vorweg eine Portion Rohkost (wie bei 1000 Kalorien).

1200 Kalorien pro Tag reichen aus, wenn Sie mittelgroß sind und über einen längeren Zeitraum – etwa vier Monate – allmählich abnehmen wollen. Danach kennen Sie Ihren Nährstoff- und Energiebedarf so gut, daß Sie genau wissen, ob Sie um ein- oder zweihundert Kalorien aufstocken müssen, um sich weiter wohl zu fühlen:
– morgens: Eierbrot mit Tomate (Seite 128);
– vormittags: Kümmelquark mit Radieschen (Seite 129);
– mittags: Nudelsalat mit Gemüse (Seite 140);
– nachmittags: ein Apfel;
– abends: Tofufrikadellen mit Fenchelsalat (Seite 163) *oder* eine Portion Rohkost (wie bei 1000 Kalorien) und danach süße Hirsegrütze (Seite 178).

1300 Kalorien pro Tag sind ideal für eine Langzeitdiät, die sich problemlos auch über ein ganzes Jahr erstrecken kann. So viele Kalorien enthalten ja auch die 28 fertigen Tagespläne im ersten Teil dieses Buches. Achten Sie jedoch bitte auf Körper und Seele: Wenn Sie häufig Hunger haben oder ans Essen denken, sich vielleicht doch schlapp und traurig fühlen, sollten Sie unbedingt noch ein oder zwei Zwischenmahlzeiten (Vorschläge ab Seite 180) einbauen. Oft helfen auch ein paar Nüsse oder Obst zwischendurch:
– morgens: Müsli mit Obst (Seite 132);
– vormittags: eine Scheibe Knäckebrot mit einem Eßlöffel Nußmus;
– mittags: Zucchini mit Tomatensoße und Quarkbrot (Seite 154);
– nachmittags: eine Banane;
– abends: Bohnensuppe mit Käse (Seite 143) und vorweg eine Portion Rohkost (wie bei 1000 Kalorien).

Frühstücksgerichte

Nußbrot (Rezept Seite 129), Kräuterkäse (Rezept Seite 129), Dickmilch mit Erdbeeren (Rezept Seite 128)

Frühstücksgerichte mit 200 Kalorien

Eierbrot mit Tomate

1 Scheibe Vollkornbrot, 1 Teel. Butter, 1 Tomate, 1 hartgekochtes Ei, 1 Eßl. Schnittlauchröllchen, Salz, Pfeffer

(Foto Seite 130)

Brot mit Butter bestreichen und mit Tomatenscheiben belegen. Gehacktes Ei darauf verteilen. Schnittlauch, Salz und Pfeffer darüberstreuen.

Gut zum Mitnehmen

Eier-Sahne-Aufstrich

1 hartgekochtes Ei, 1 kleine Essiggurke, 1 Lauchzwiebel, 1 Eßl. Kapern, 1 Eßl. gehackte Kräuter, 2 Eßl. saure Sahne, Salz, Pfeffer, 1 Vollkornbrötchen

Ei, Gurke und geputzte Zwiebel fein zerkleinern. Mit Kapern, Kräutern und Sahne mischen, mit Salz und Pfeffer abschmecken. Auf dem halbierten Brötchen verteilen.

Tomaten-Käsebrot

1 Scheibe Vollkornbrot, 1 Teel. Butter, 1 Tomate, 1 kleine Lauchzwiebel, 1 Tropfen kaltgepreßtes Öl, Salz, Pfeffer, 1 Teel. gehackte Petersilie, 1 Eßl. geriebener Käse

Brot mit Butter bestreichen. Abgezogene Tomate mit einer Gabel zerdrücken. Mit fein gehackter Lauchzwiebel, Öl, Kräutern, Salz und Pfeffer mischen und auf dem Brot verteilen. Käse darüberstreuen.

Dickmilch mit Erdbeeren

150 g Erdbeeren, 200 g Dickmilch, 1 Teel. Honig

(Foto Seite 127)

Erdbeeren waschen, von den Stielen zupfen und mit einer Gabel ganz fein zerdrücken. Mit der schaumig geschlagenen Dickmilch und Honig mischen.

Rohkostbrot

150 g Möhren, Kohlrabi, Rettich oder Radieschen, 2 Eßl. gehackte Petersilie, Dill oder Schnittlauch, 1 Eßl. Crème fraîche, Salz, Pfeffer, 1 Teel. Zitronensaft, 1 Scheibe Vollkornbrot

Gemüse putzen, waschen und raspeln. Mit Kräutern und Crème fraîche mischen, mit Salz, Pfeffer und Zitronensaft würzen und auf dem Brot verteilen.

Gut zum Mitnehmen

Kümmelquark mit Radieschen

100 g Magerquark, 1 Eßl. Crème fraîche, 1/2 Teel. Kümmelkörner, Salz, Pfeffer, 5 Radieschen, 1 Teel. gehackte Petersilie, 2 Scheiben Knäckebrot

Quark mit Crème fraîche, Kümmel, Salz und Pfeffer verrühren. Zerkleinerte Radieschen und Petersilie untermischen. Mit Knäckebrot anrichten.

Nußbrot mit Apfel

(Foto Seite 126)

1 Scheibe Knäckebrot, 3 Teel. Nußmus, 1 kleiner Apfel, 1–2 Teel. Zitronensaft

Brot mit etwas Nußmus bestreichen. Apfel gründlich waschen oder schälen, vierteln, vom Kerngehäuse befreien und in Spalten schneiden. Brot mit Apfelspalten belegen, Zitronensaft und restliches Nußmus daraufgeben. Den Rest des Apfels dazu essen.

Gut zum Mitnehmen

Kräuterkäse

(Foto Seite 126)

25 g Doppelrahmfrischkäse, 1 Eßl. Magerquark, Zitronensaft, Salz, Pfeffer, 2 Eßl. Schnittlauchröllchen, 1 Scheibe Vollkornbrot, 1/4 Kästchen Kresse

Käse mit Quark verrühren, mit Zitronensaft, Salz und Pfeffer würzen. Schnittlauch untermischen. Auf dem Brot verteilen und mit Kresse belegen.

Tomatenbrötchen mit Sprossen

1 Vollkornbrötchen, 10 g Butter, 1 Tomate, 2 Handvoll Rettich- oder Alfalfasprossen (3 Tage gekeimt; ersatzweise 1 Kästchen Kresse), Salz, Pfeffer, 1 Teel. Zitronensaft, 1 Eßl. gehackte Petersilie oder Dill

Brötchen halbieren und jede Hälfte mit Butter bestreichen. Mit Tomatenscheiben und Sprossen belegen, mit Salz, Pfeffer und Zitronensaft würzen. Kräuter darüberstreuen.

Frühstücksgerichte mit 300 Kalorien

Joghurt mit Orangen

Joghurt mit Orangenstückchen, Honig und Sonnenblumenkernen mischen. Flocken darüberstreuen.

150 g Joghurt, 1 Orange, 1 Teel. Honig, 20 g Sonnenblumenkerne, 20 g Getreideflocken

Gut zum Mitnehmen

Buttermilch mit Obst und Flocken

Buttermilch mit geschältem, zerkleinertem Apfel, Ananasstückchen und Honig mischen. Mit Flocken bestreuen.

200 g Buttermilch, 1 Apfel, 125 g frische Ananas, 1/2 Eßl. Honig, 40 g Knusperflocken

Gut zum Mitnehmen

Beerenquark

(Foto Seite 133)

Quark mit Milch, Sahne, Zitronensaft und Honig glattrühren. Gewaschene frische oder tiefgekühlte Beeren untermischen, Flocken darüberstreuen.

125 g Magerquark, 2 Eßl. Milch, 1 Eßl. Schlagsahne, 1 Teel. Zitronensaft, 1 Teel. Honig, 150 g Erdbeeren, Himbeeren und/oder Blaubeeren, 20 g Getreideflocken

Obstsalat mit Quarkknäcke

Obst schälen und zerkleinern. Mit Korinthen und gehackten Nüssen mischen. Knäckebrot mit Quark bestreichen und zum Obstsalat servieren.

1/2 Apfel, 1/2 Banane, 1 Orange, 10 g Korinthen, 3 Haselnußkerne, 1 Scheibe Knäckebrot, 1 Eßl. Magerquark

Gut zum Mitnehmen

Müsli mit Schrot

Körner grob schroten, mit Joghurt mischen und über Nacht zugedeckt im Kühlschrank quellen lassen. Vor dem Essen geschälten Apfel und Möhre raspeln, mit Milch, Zitronensaft und Honig unter den Schrotbrei mischen. Sonnenblumenkerne darüberstreuen.

20 g Getreidekörner, 150 g Joghurt, 1 Apfel, 1 Möhre, 1 Eßl. Milch, 1 Teel. Zitronensaft, 1 Teel. Honig, 10 g Sonnenblumenkerne

Eierbrot mit Tomate (Rezept Seite 128)

Gut zum Mitnehmen

Müsli mit Flocken

20 g Getreideflocken, 100 g Buttermilch, 1 Teel. Schlagsahne, 125 g frische Ananas, 10 g Korinthen, 1 Teel. Honig, 6 Haselnußkerne

Flocken mit Buttermilch und Sahne verrühren und zugedeckt über Nacht im Kühlschrank quellen lassen. Vor dem Essen Ananasstückchen, Korinthen, Honig und gehackte Nüsse untermischen.

Gut zum Mitnehmen

Müsli mit Obst

20 g Getreidekörner, 200 g Dickmilch, 150 g Obst (Erdbeeren, Ananas oder Orange), 1 Teel. Honig, 10 g Sonnenblumenkerne

Körner grob schroten, mit der Dickmilch mischen und über Nacht zugedeckt im Kühlschrank quellen lassen. Vor dem Essen Obst vorbereiten, gegebenenfalls zerkleinern und mit dem Honig unter den Schrotbrei mischen. Kerne darüberstreuen.

Gut zum Mitnehmen

Zwetschen mit Zimtjoghurt

150 g Joghurt, je 1 Messerspitze Zimtpulver und gemahlene Naturvanille, 1 Teel. Honig, 200 g Zwetschen, 2 getrocknete Pflaumen, 1 Eßl. Getreideflocken

Joghurt mit Zimt, Vanille und Honig schaumig schlagen. Zwetschen waschen, trockentupfen, entsteinen und in Stücke schneiden. Getrocknete Pflaumen ebenfalls zerkleinern. Obst mit dem Joghurt mischen. Flocken darüberstreuen.

Bananenbrot

1 Scheibe Vollkornbrot, 1 Eßl. Crème fraîche, 1 Teel. Honig, 1 kleine Banane, Zitronensaft, 4 Haselnußkerne

Brot mit Crème fraîche bestreichen und mit Honig beträufeln. Banane in Scheiben schneiden und auf dem Brot verteilen. Mit Zitronensaft beträufeln, mit den gehackten Nüssen bestreuen.

Beerenquark (Rezept Seite 131)

Frühstücksgerichte mit 400 Kalorien

1 Vollkornbrötchen, 1 Teel. Butter, 1 Ei, 1 Scheibe Knäckebrot, 2 Eßl. Magerquark, 5 Radieschen, Salz, Pfeffer

Frühstück mit Ei

Brötchen halbieren und mit Butter bestreichen. Dazu das weich- oder wachsweich gekochte Ei servieren. Knäckebrot mit Quark bestreichen und mit Radieschen belegen. Ei und Radieschen mit Salz und Pfeffer würzen.

1 Scheibe Vollkornbrot, 1 Eßl. Doppelrahmfrischkäse, 2 Eßl. Fruchtaufstrich ohne Zucker, 1 Apfel, 3 Haselnußkerne

Frühstück mit Fruchtaufstrich

Brot mit Frischkäse bestreichen, Fruchtaufstrich darauf verteilen. Apfel vierteln, schälen, vom Kerngehäuse befreien und in Stücke schneiden. Mit Brot und Haselnüssen auf einem Teller anrichten.

75 g Tofu, 1 kleine Essiggurke, 1 Eßl. Schnittlauchröllchen, 1 Teel. Crème fraîche, Salz, Paprikapulver, 1 Scheibe Vollkornbrot, 1/2 Kästchen Kresse

Gut zum Mitnehmen

Tofubrot

Tofu mit einer Gabel fein zerdrücken. Gehackte Essiggurke, Schnittlauch und Crème fraîche untermischen. Mit Salz und Paprika abschmecken, auf dem Brot verteilen und mit Kresse belegen.

1 Vollkornbrötchen, 1 Teel. Butter, 30 g Edelpilzkäse (45 %), 1 Tomate, 1 Scheibe Knäckebrot, 1 Eßl. Magerquark, 1 Eßl. Honig

Frühstück mit Käse

Beide Brötchenhälften mit Butter bestreichen und mit Käse und Tomatenscheiben belegen. Knäckebrot mit Quark bestreichen und mit Honig beträufeln.

1 Vollkornbrötchen, 10 g Butter, 50 g gegartes Roastbeef, 100 g Salatgurke, Salz, Pfeffer, 1 Teel. gehackter Dill, 1 Scheibe Knäckebrot, 1 Eßl. Magerquark, 1 Eßl. Fruchtaufstrich ohne Zucker

Frühstück mit Roastbeef

Beide Brötchenhälften mit Butter bestreichen und mit Roastbeef belegen. Gurke schälen und auf das Fleisch raspeln. Mit Salz und Pfeffer würzen, mit Dill bestreuen. Knäckebrot mit Quark und Fruchtaufstrich bestreichen.

Avocadotoast

Brot rösten. Avocado vom Kern befreien, schälen, in Scheiben schneiden und auf den Toast legen. Mit Zitronensaft beträufeln, mit Salz, Pfeffer, gehackten Nüssen und Schnittlauch bestreuen.

1 Scheibe Vollkorntoast, 1/2 Avocado, Zitronensaft, Salz, Pfeffer, 5 Haselnußkerne, 1 Eßl. Schnittlauchröllchen

Brot mit Räuchertofu

Brot mit Butter bestreichen. Spinat waschen, trockenschwenken und hacken. Mit einer Marinade aus Sahne, Essig, Senf und Öl, Salz und Pfeffer mischen und auf dem Brot verteilen. Tofu in Scheiben schneiden, auf den Spinat legen und mit Kresse bestreuen.

1 Scheibe Vollkornbrot, 1 Teel. Butter, 1 Handvoll Spinat, je 1 Teel. Schlagsahne, Essig, Senf und kaltgepreßtes Öl, Salz, Pfeffer, 75 g geräucherter Tofu, 1/4 Kästchen Kresse

Brot mit Käsesalat

Brot mit Butter bestreichen. Käse würfeln, Lauchzwiebel und Essiggurke fein zerkleinern, mit Crème fraîche und etwa der Hälfte der Kresse mischen. Salat mit Salz und Pfeffer abschmecken und auf dem Brot verteilen. Mit Tomatenscheiben und der restlichen Kresse belegen.

1 Scheibe Vollkornbrot, 1 Teel. Butter, 30 g Gouda- oder Emmentaler Käse (45 %), 1 Lauchzwiebel, 1 Essiggurke, 1 Eßl. Crème fraîche, 1/2 Kästchen Kresse, Salz, Pfeffer, 1 Tomate

Brot mit Rohkost und Krabben

Krabben mit Zitronensaft mischen. Geschälten Apfel und geputzten Sellerie raspeln. Mit Krabben, Crème fraîche, Joghurt und Dill mischen und auf dem Brot verteilen. Geschälte Kiwi in Scheiben schneiden, auf das Brot legen und mit Pfeffer bestreuen.

50 g Krabben, 1 Eßl. Zitronensaft, 1 kleiner Apfel, 100 g Knollen- oder Staudensellerie, 1 Eßl. Crème fraîche, 1 Teel. Joghurt, 1 Eßl. gehackter Dill, 1 Scheibe Vollkornbrot, 1 Kiwi, Pfeffer

Kleine Gerichte

Blattsalat mit Vollkornbröseln (Rezept Seite 138), Chinasuppe mit Fleisch (Rezept Seite 143)

Kleine kalte Gerichte mit 200 Kalorien

1 Beutel Apfeltee, 1 Eßl. Zitronensaft, Salz, Pfeffer, 1/2 Eßl. kaltgepreßtes Öl, 1 rote Bete, 1 Apfel, 1 Handvoll Alfalfa- oder Rettichsprossen (3 Tage gekeimt), 1 Eßl. Schnittlauchröllchen

Gut zum Mitnehmen

Rote Bete mit Apfel und Sprossen

Für die Salatsoße Apfeltee mit einer halben Tasse kochendem Wasser übergießen und zehn Minuten ziehen lassen. Mit Zitronensaft, Salz, Pfeffer und Öl verrühren. Rote Bete und Apfel schälen und raspeln. Mit der Salatsoße mischen, mit Sprossen und Schnittlauch bestreuen.

150 g Chicorée, 150 g Weintrauben, 1 Eßl. saure Sahne, Pfeffer, 1 Tropfen kaltgepreßtes Öl, 1 Eßl. gehackte Petersilie, 10 g Sonnenblumenkerne

Gut zum Mitnehmen

Chicorée mit Trauben

(Foto Seite 144)

Chicorée putzen, waschen und zerkleinern. Mit halbierten Weintrauben, saurer Sahne, Pfeffer, Öl und Petersilie mischen, mit Kernen bestreuen.

1 Beutel Apfeltee, 2 Eßl. milder Essig, 1 Teel. Senf, Salz, Pfeffer, 1 Eßl. kaltgepreßtes Öl, 200 g Gemüse wie Kohlrabi, Paprikaschoten, Salatgurke und Radieschen, 100 g geräucherter Tofu, 2 Eßl. gehackte Kräuter wie Petersilie, Dill, Schnittlauch, Kerbel

Gut zum Mitnehmen

Rohkost mit Räuchertofu

Für die Salatsoße Tee mit einer halben Tasse kochendem Wasser übergießen und zehn Minuten ziehen lassen. Mit Essig, Senf, Salz, Pfeffer und Öl verrühren. Gemüse putzen, waschen und zerkleinern. Mit der Salatsoße mischen. Tofu würfeln und über dem Salat verteilen. Mit den Kräutern bestreuen.

150 g Blattsalat, 1 Tomate, 1 Eßl. Schnittlauchröllchen, 2 Eßl. Essig, 1 Teel. Senf, Salz, Pfeffer, 3 Teel. kaltgepreßtes Öl, 1/2 Scheibe grobes Vollkornbrot

Blattsalat mit Vollkornbröseln

(Foto Seite 136)

Salat putzen, waschen, zerkleinern und mit gewürfelter Tomate und Schnittlauch mischen. Essig mit Senf, Salz, Pfeffer und einem Teelöffel Öl verrühren. Vollkornbrot zerbröckeln und unter ständigem Wenden im restlichen Öl rösten. Salat mit Soße mischen und mit den Bröseln bestreut anrichten.

Kleine warme Gerichte mit 200 Kalorien

Brokkoli-Sahne-Suppe

Brokkoli in der Brühe bißfest garen. Crème fraîche untermischen. Suppe mit Salz abschmecken und mit gehackten Kräutern bestreuen. Dazu Vollkornbrot.

1/2 Paket Tiefkühl-Brokkoli (150 g), 200 ccm Gemüsebrühe, 1 Eßl. Crème fraîche, Salz, 2 Eßl. Kräuter, 1 Scheibe Vollkornbrot

Gemüsetopf mit Käsebrot

Gehäutete Tomate würfeln und mit gewaschenem Spinat in Crème fraîche unter Rühren garen, bis die Tomate weich ist. Staudensellerie putzen, waschen, in dünne Scheiben schneiden, mit den Sellerieblättern unter das Gemüse mischen und erhitzen, aber nicht mehr kochen. Mit Salz und Pfeffer abschmekken. Brot mit Frischkäse bestreichen und mit Schnittlauch bestreuen.

1 Tomate, 200 g Spinat, 1 Eßl. Crème fraîche, 150 g Staudensellerie, Salz, Pfeffer, 1 Scheibe Vollkornbrot, 1 Eßl. körniger Frischkäse, 1 Eßl. Schnittlauchröllchen

Kartoffelsuppe mit Sauerkraut

Kartoffel schälen, raspeln und mit Sauerkraut in der Gemüsebrühe in etwa 15 Minuten weich garen. Suppe mit Salz, Pfeffer und Paprikapulver würzen. Saure Sahne mit Petersilie mischen und auf die Suppe geben.

1 Kartoffel (150 g), 100 g Sauerkraut, 1/4 l Gemüsebrühe, Salz, Pfeffer, Paprikapulver, 2 Eßl. saure Sahne, 1 Eßl. gehackte Petersilie

Gemüsesuppe mit Sprossen

Möhre und Zwiebel zerkleinern, in der Brühe aufkochen und zwei Minuten garen. Sprossen untermischen. Suppe mit Sojasoße würzen. Brot mit Butter bestreichen und dazu essen.

1 Möhre, 1 Lauchzwiebel, 200 ccm Gemüsebrühe, 1 Handvoll Alfalfa- oder Rettichsprossen (3 Tage gekeimt), 1 Teel. Sojasoße, 1 Scheibe Vollkornbrot, 1 Teel. Butter

Schwarzwurzeln mit Dip

Geschälte Schwarzwurzeln in reichlich Salzwasser mit kräftigem Schuß Zitronensaft bißfest garen. Inzwischen Quark mit saurer Sahne, Salz, Pfeffer, einigen Tropfen Zitronensaft und Kresse mischen. Abgetropfte Schwarzwurzeln auf einem Teller anrichten und mit Pfeffer aus der Mühle bestreuen. Dip und Vollkornbrötchen dazu servieren.

300 g Schwarzwurzeln, Salz, Saft von 1/2 Zitrone, 75 g Magerquark, 2 Eßl. saure Sahne, Salz, Pfeffer, 1/2 Kästchen Kresse, 1 Vollkornbrötchen

Kleine kalte Gerichte mit 300 Kalorien

30 g Bulgur, 100 ccm Gemüsebrühe, 250 g gemischtes Gemüse wie Zucchini, Champignons, Tomaten und Paprikaschoten, 1 kleines Bund Schnittlauch, 2 Eßl. Essig, 1 Teel. Senf, Salz, Pfeffer, 1 Eßl. kaltgepreßtes Öl

Gut zum Mitnehmen

Bulgur-Gemüsesalat

Bulgur mit Gemüsebrühe aufkochen und zugedeckt etwa 25 Minuten garen. Gemüse und Schnittlauch zerkleinern. Essig mit Senf, Salz, Pfeffer und Öl verrühren. Mit Gemüse, Schnittlauch und lauwarm abgekühltem, nicht abgetropftem Bulgur mischen.

100 g Tofu, 2 Eßl. Zitronensaft, 1 Eßl. Sojasoße, 1 Teel. kaltgepreßtes Öl, Salz, Pfeffer, 50 g Mungosprossen (4 Tage gekeimt), $^1/_8$ l Gemüsebrühe, 50 g Champignons, 1 kleines Bund Schnittlauch, 1 Scheibe Vollkornbrot

Sprossen-Pilz-Salat mit Tofu

Tofu in Scheiben schneiden, mit einem Eßlöffel Zitronensaft, der Sojasoße und dem Öl beträufeln. Mit Salz und Pfeffer würzen und zugedeckt bei Zimmertemperatur zwei Stunden marinieren. Sprossen mit Gemüsebrühe zwei Minuten dünsten und in der Brühe erkalten lassen. Zum Essen Champignons putzen, kurz waschen und in dünne Scheiben schneiden. Mit Sprossen und Tofu auf einem Teller anrichten. Alles mit der Marinierflüssigkeit vom Tofu und der Brühe beträufeln. Fein zerkleinerten Schnittlauch darüberstreuen. Dazu Vollkornbrot.

50 g Hörnchennudeln, 75 g Tiefkühl-Erbsen, Salz, 1 Tomate, 1 Lauchzwiebel, 1 Eßl. saure Sahne, $^1/_2$ Eßl. Essig, Salz, Pfeffer, 1 Eßl. gehackte Petersilie

Gut zum Mitnehmen

Nudelsalat mit Gemüse

(Foto Seite 141)

Nudeln und Erbsen getrennt in Salzwasser garen, abtropfen lassen und noch heiß miteinander mischen. Zerkleinerte Tomate und Lauchzwiebel, Sahne und Essig untermischen. Mit Salz und Pfeffer würzen und mit Petersilie bestreuen.

1 Orange, 1 Apfel, 1 kleine Zwiebel, 100 g Sauerkraut, 1 Teel. Essig, 2 Eßl. ungesüßter Apfelsaft, $^1/_2$ Teel. Honig, 1 Teel. kaltgepreßtes Öl, 2 Eßl. gehackte Petersilie, 5 Haselnußkerne, 1 Scheibe Vollkornbrot

Sauerkrautsalat mit Obst und Nüssen

Zerkleinerte Orange mit geraspeltem Apfel, gehackter Zwiebel, grob geschnittenem Sauerkraut, Essig, Apfelsaft, Honig, Öl und Petersilie mischen. Gehackte Nüsse darüberstreuen. Dazu Vollkornbrot.

Nudelsalat mit Gemüse

Kleine warme Gerichte mit 300 Kalorien

200 g Blumenkohlröschen, 150 ccm Gemüsebrühe, 2 Eßl. Schlagsahne, Pfeffer, Muskatnuß, 2 Eßl. gehackte Kräuter, 1 Scheibe Vollkornbrot, 1/2 Eßl. kaltgepreßtes Öl

Blumenkohlsuppe

Blumenkohl in der Brühe bißfest garen. Sahne, Pfeffer und Muskatnuß untermischen. Kräuter darüberstreuen. Während die Suppe gart, gewürfeltes Brot im Öl bei mittlerer bis schwacher Hitze rösten. Zur Suppe servieren.

100 g Putenbrustfilet, 200 g Weißkohl, 1 Zwiebel, 1 Teel. Öl, 1 gestrichener Eßl. gemahlenes Getreide, 1/4 l Gemüsebrühe, Salz, Cayennepfeffer, 1 Eßl. gehackte Petersilie

Getreidesuppe mit Gemüse und Fleisch

Fleisch und geputzten Kohl in Streifen schneiden. Zwiebel hacken. Diese Zutaten im heißen Öl anbraten. Mehl darüberstäuben und einige Sekunden unter Rühren mitrösten. Brühe zugießen, aufkochen und etwa zwei Minuten garen. Mit Salz und Pfeffer abschmecken, mit Petersilie bestreut anrichten.

150 g Lauchzwiebeln, 1 Teel. getrockneter Majoran, 1 Teel. Öl, 1/4 l Gemüsebrühe, 1 Scheibe Vollkornbrot, 1 Eßl. geriebener Käse, 1 Eßl. gehackte Petersilie

Zwiebelsuppe

Geputzte Zwiebeln mit etwa zwei Drittel der grünen Blätter in fingerbreite Ringe schneiden. Mit Majoran im Öl anbraten. Brühe zugießen. Suppe aufkochen und zugedeckt etwa fünf Minuten garen, bis die Zwiebeln bißfest sind. Vollkornbrot toasten, in Stücke schneiden und in einen Teller legen. Mit Käse bestreuen. Suppe darübergießen und mit Petersilie bestreut anrichten.

1 große rote Bete, 1 Zwiebel, 1 Bund Suppengrün, 1 Teel. kaltgepreßtes Öl, 150 g gegarte Bohnen (abgetropft; etwa 50 g Rohgewicht), 200 ccm Gemüsebrühe, Cayennepfeffer, Salz, 2 Eßl. saure Sahne, 1 Eßl. gehackter Dill

Bohneneintopf mit roter Bete

Rote Bete waschen, schälen und raspeln. Abgezogene Zwiebel und gewaschenes Suppengrün fein zerkleinern. Öl erhitzen. Zwiebel darin glasig braten. Rote Bete, Suppengrün, Bohnen und Gemüsebrühe zugeben. Aufkochen und zugedeckt bei kleiner Hitze fünf Minuten garen. Mit Cayennepfeffer und Salz abschmecken. Saure Sahne mit Dill mischen. Gemüse in einem vorgewärmten Teller anrichten, Dillsahne daraufgeben.

Bohnensuppe mit Käse

Porree putzen, waschen und mit etwa zwei Drittel der grünen Blätter in fingerdicke Stücke schneiden. Geschälte Möhre raspeln. Sellerieblättchen abschneiden und beiseite legen. Selleriestangen putzen, waschen und in Stücke schneiden. Zwiebel hacken. Diese Zutaten mit Bohnen und Gemüsebrühe aufkochen und zugedeckt bei kleiner Hitze fünf Minuten garen. Suppe mit Cayennepfeffer und Koriander würzen. Käse und Petersilie darüberstreuen.

1 Stange Porree, 1 Möhre, 150 g Staudensellerie, 1 Zwiebel, 75 g gegarte weiße Bohnen (abgetropft; Rohgewicht etwa 25 g), 200 ccm Gemüsebrühe, Cayennepfeffer, 1 Prise gemahlener Koriander, 1 Eßl. geriebener Käse, 1 Eßl. gehackte Petersilie

Fischsuppe

Gehackte Zwiebel, Knoblauchzehe und zerkleinertes Suppengrün im heißen Öl anbraten. Gemüsebrühe zugeben. Die Hälfte der gehackten Petersilie, abgezogene, gewürfelte Tomaten und gewürfeltes Fischfilet zufügen und knapp unter dem Siedepunkt etwa zwei Minuten ziehen lassen. Mit Salz, Pfeffer und Zitronensaft würzen. Crème fraîche untermischen. Suppe mit der restlichen Petersilie bestreut anrichten. Dazu Vollkorntoast.

1 Zwiebel, 1 Knoblauchzehe, 1 Bund Suppengrün, 1 Teel. kaltgepreßtes Öl, 200 ccm Gemüsebrühe, 1 kleines Bund Petersilie, 250 g Tomaten, 100 g Goldbarschfilet, Salz, Pfeffer, 1 Eßl. Zitronensaft, 1 Eßl. Crème fraîche, 2 Scheiben Vollkorntoast

Chinasuppe mit Fleisch

(Foto Seite 137)

Pilze in knapp einem Viertelliter Wasser drei Stunden einweichen. Herausnehmen und in Streifen schneiden. Einweichwasser mit der Gemüsebrühe aufkochen und heiß halten. Geputzten, gewaschenen Spinat oder Salat zerkleinern und in einen Suppenteller geben. Zwiebel in Ringe, Fleisch in Streifen schneiden. Beide Zutaten und die Pilze unter Rühren im heißen Öl braten, bis sich das Fleisch grau färbt. Ebenfalls in den Suppenteller geben und mit der heißen Brühe übergießen.

2 getrocknete Mu-Err-Pilze, 1 Teel. Instant-Gemüsebrühe, 100 g Spinat oder Endiviensalat, 1 Lauchzwiebel, 100 g Putenbrustfilet, 1/2 Eßl. kaltgepreßtes Öl

Kichererbsen-Sprossen-Curry

Sprossen, Gewürzmischung, gehackte Zwiebel, Knoblauchzehe und Kichererbsen im heißen Öl unter Rühren zwei Minuten anbraten. Sojamilch zugießen, aufkochen und fünf Minuten bei kleiner Hitze garen. Mit Salz und Cayennepfeffer abschmecken, mit Petersilie bestreuen. Dazu Vollkorntoast.

50 g Mungosprossen (4 Tage gekeimt), 1–2 Teel. Gewürzmischung (siehe Seite 47), 1 Zwiebel, 1 Knoblauchzehe, 100 g gegarte Kichererbsen (abgetropft; Rohgewicht etwa 45 g), 1/2 Eßl. kaltgepreßtes Öl, 1/8 l Sojamilch, Salz, Cayennepfeffer, 1 Eßl. gehackte Petersilie, 1 Scheibe Vollkorntoast

Pellkartoffeln mit Schnittlauchquark

Kartoffeln ungeschält gründlich waschen und in wenig Wasser weich garen. Inzwischen abgezogene Zwiebel fein hacken. Gewaschene Tomate würfeln, Stielansatz dabei entfernen. Schnittlauch waschen, trockentupfen und in Röllchen schneiden. Quark mit saurer Sahne glattrühren. Zwiebel, Tomate und Schnittlauch untermischen. Mit Salz und Pfeffer abschmecken und zu den Kartoffeln servieren.

250 g kleine Kartoffeln, 1 kleine Zwiebel, 1 Tomate, 1 kleines Bund Schnittlauch, 125 g Magerquark, 1 Eßl. saure Sahne, Salz, Pfeffer

Brotsuppe mit Gemüse

Sellerieblättchen abschneiden und beiseite legen. Selleriestangen und Lauchzwiebel putzen, waschen und in etwa fingerbreite Stücke schneiden. Vollkornbrot würfeln. Öl erhitzen, Sellerie, Zwiebel und Brotwürfel darin bei kleiner bis mittlerer Hitze unter Rühren anbraten, bis das Brot knusprig ist. Gemüsebrühe zugießen und aufkochen. Suppe zugedeckt etwa eine Minute kochen lassen, bis der Sellerie gerade eben weich ist. Milch und Sahne zugießen und bis knapp unter dem Siedepunkt erhitzen. Suppe mit den gewaschenen, gehackten Sellerieblättchen und den Kräutern bestreuen.

100 g Staudensellerie, 1 Lauchzwiebel, 1 Scheibe Vollkornbrot, 1/2 Eßl. Öl, 100 ccm Gemüsebrühe, 100 ccm Milch, 2 Eßl. Schlagsahne, 2 Eßl. gehackte Kräuter

Chicorée mit Trauben (Rezept Seite 138)

Kalte Hauptgerichte

Avocado mit Krabben (Rezept Seite 148), Bohnenpaste mit Salat und Brötchen (Rezept Seite 154)

Kalte Hauptgerichte mit 400 Kalorien

Avocado mit Krabben

1/2 Avocado, 1 Scheibe Vollkornbrot, Zitronensaft, Salz, Pfeffer, 50 g Krabben, 1 Eßl. gehackte Petersilie, 1 Eßl. saure Sahne

(Foto Seite 146)

Avocado schälen, in Scheiben schneiden und auf das Brot legen. Mit Zitronensaft beträufeln, mit Salz und Pfeffer würzen. Krabben mit Zitronensaft, Salz, Pfeffer, Petersilie und Sahne mischen.

Gut zum Mitnehmen

Dicke Bohnen-Salat

1/2 Paket tiefgekühlte Dicke Bohnen (150 g), Salz, 1 Eßl. milder Essig, 1 Teel. kaltgepreßtes Öl, 100 g Champignons, 1 Zucchino, 75 g Joghurt, 1 Eßl. saure Sahne, Pfeffer, 1 Vollkornbrötchen

Bohnen in wenig Salzwasser garen und *nicht* abtropfen lassen. Essig und Öl unterrühren, Bohnen erkalten lassen. Champignons putzen und zerkleinern, Zucchino waschen und raspeln. Mit Joghurt und saurer Sahne unter die Bohnen mischen. Salat mit Pfeffer und eventuell Salz abschmecken. Dazu Vollkornbrötchen.

Rosenkohlsalat mit Knoblauchbrot

1 Paket Tiefkühl-Rosenkohl (300 g), Salz, 2 Lauchzwiebeln, Pfeffer, 1 Eßl. Essig, 2 Eßl. kaltgepreßtes Öl, 1 Vollkornbrötchen, 1 Knoblauchzehe

Rosenkohl in wenig Salzwasser garen, nicht abgießen. Erkalten lassen. Geputzte, gewaschene Lauchzwiebeln in Ringe schneiden. Mit Pfeffer, Essig und einem Eßlöffel Öl unter den Rosenkohl mischen. Brötchen würfeln, im restlichen Öl bei schwacher Hitze rundherum braten. Zum Schluß gehackten Knoblauch mitbraten. Alles auf den Salat geben.

Bohnensalat

150 g gegarte rote Bohnen (abgetropft; Rohgewicht etwa 70 g), 200 g Tomaten oder Paprikaschoten, 1 kleine Zwiebel, 2 Eßl. milder Essig, 1 Teel. Senf, Salz, Pfeffer, 1/2 Teel. getrocknetes Bohnenkraut, Oregano oder Thymian, 1 Eßl. kaltgepreßtes Öl, 1 Scheibe Vollkornbrot

Bohnen, gewürfelte Tomaten oder Paprikaschoten und gehackte Zwiebel mischen. Essig mit Senf, Salz, Pfeffer, getrockneten Kräutern und Öl verrühren und unter den Salat mischen. Dazu Vollkornbrot.

Gut zum Mitnehmen

Marinierte weiße Bohnen

Zwiebel in Ringe schneiden, Knoblauchzehe hacken. Im Öl bei schwacher Hitze glasig braten. Bohnen, fünf Eßlöffel Wasser und Gemüsebrühe zugeben. Aufkochen und bei schwacher Hitze fünf Minuten garen. Zitronenschale in feine Streifen schneiden. Mit dem Zitronensaft, Salz und reichlich Pfeffer unter die Bohnen mischen. Vor dem Servieren mindestens sechs Stunden ziehen lassen. Mit Kräutern bestreut servieren. Dazu Vollkornbrötchen.

1 große Zwiebel, 1 Knoblauchzehe, 1/2 Eßl. kaltgepreßtes Öl, 150 g gegarte weiße Bohnen (abgetropft; Rohgewicht etwa 70 g), 1 Teel. Instant-Gemüsebrühe, 1 Stück Zitronenschale (etwa 3 cm lang), Saft von 1/2 Zitrone, Salz, Pfeffer, 2 Eßl. gehacktes Bohnenkraut, Petersilie oder Schnittlauch, 1 Vollkornbrötchen

Salat mit Senfsoße

Salat, Radieschen und Schnittlauch waschen, zerkleinern und mit den Sprossen mischen. Für die Soße Sahne mit Senf, Zitronensaft oder Essig, Salz, Pfeffer und Öl verrühren. Soße mit dem Salat mischen. Dazu Vollkornbrötchen.

400 g Eisbergsalat, 4 Radieschen, 1 kleines Bund Schnittlauch, 1 Handvoll Senf-, Rettich- oder Alfalfasprossen (3 Tage gekeimt), 2 Eßl. Sahne, 2 Teel. Senf, 1 Eßl. Zitronensaft oder Obstessig, Salz, Pfeffer, 1 Teel. kaltgepreßtes Öl, 1 Vollkornbrötchen

Gut zum Mitnehmen

Rote Bohnen mit Apfel

Zwiebel und Knoblauch hacken und im Öl glasig braten. Bohnen, Apfel- und Zitronensaft, Majoran und Gemüsebrühe zugeben. Aufkochen und zehn Minuten zugedeckt bei kleiner Hitze garen. Mit wenig Salz und einer kräftigen Prise Pfeffer abschmekken und erkalten lassen. Apfel vierteln, dünn schälen, vom Kerngehäuse befreien und würfeln. Unter die Bohnen mischen. Petersilie darüberstreuen. Knäckebrot mit dem Nußmus bestreichen.

1 Zwiebel, 1 Knoblauchzehe, 1 Teel. kaltgepreßtes Öl, 150 g gegarte rote Bohnen (abgetropft; Rohgewicht etwa 70 g), 2 Eßl. ungesüßter Apfelsaft, 1 Eßl. Zitronensaft, 1 Teel. getrockneter Majoran oder Oregano, 1 Teel. Instant-Gemüsebrühe, Salz, Pfeffer, 1 säuerlicher Apfel, 1 Eßl. gehackte Petersilie, 1 Scheibe Knäckebrot, 1/2 Eßl. Nußmus

Gut zum Mitnehmen

Gemischter Gemüsesalat mit Ei

1 Ei, 25 g Mungosprossen (4 Tage gekeimt), 1 Teel. Instant-Gemüsebrühe, 2 Eßl. Essig, 1 Teel. Senf, 1 Eßl. kaltgepreßtes Öl, 1 kleines Bund Schnittlauch, 400 g gemischtes Gemüse wie Fenchel, Staudensellerie, Möhren und Feldsalat, 1 Vollkornbrötchen

(Foto Seite 150)

Ei acht Minuten kochen, abschrecken, pellen und achteln. Mungosprossen in sechs Eßlöffel Wasser mit Instant-Brühe drei Minuten garen und lauwarm abkühlen lassen. Mit Essig, Senf, Öl und Schnittlauchröllchen mischen. Gemüse und Salat putzen, waschen, zerkleinern und mit den Sprossen auf einem Teller anrichten. Eiachtel darüber verteilen. Dazu Vollkornbrötchen.

Tofuburger

1 Vollkornbrötchen, 1 Tomate, Salz, 2 Tofufrikadellen (siehe Rezept „Tofufrikadellen mit Fenchelsalat", Seite 163), 1 Handvoll Alfalfa- oder Rettichsprossen (3 Tage gekeimt; ersatzweise 1/2 Kästchen Kresse), 2 Eßl. saure Sahne, 200 g Chicorée, 1 Orange, 1 Teel. kaltgepreßtes Öl, Pfeffer, 1 Eßl. gehackte Petersilie

Brötchen halbieren. Gewaschene Tomate in Scheiben schneiden, auf den Brötchenhälften verteilen und salzen. Frikadellen darauflegen. Sprossen auf die Frikadellen geben, mit einem Eßlöffel saurer Sahne beträufeln. Gewaschenen Chicorée zerkleinern, Orange in Stücke schneiden. Beide Zutaten mit der restlichen sauren Sahne, Öl, Pfeffer und Petersilie mischen und zu den Tofuburgern servieren.

Gut zum Mitnehmen

Staudensellerie mit Dip und Roastbeef

150 g Joghurt, 1 Eßl. Crème fraîche, 1–2 Eßl. gehackte Kräuter, Salz, Pfeffer, 200 g Staudensellerie, 100 g gegartes Roastbeef, 1 Scheibe Vollkornbrot

Joghurt mit Crème fraîche kräftig verrühren, Kräuter, Salz und Pfeffer untermischen. Dip in ein Schälchen füllen. Blätter der Selleriestangen abschneiden, grob zerkleinern und über den Dip streuen. Gewaschene Selleriestangen, Roastbeef und in Streifen geschnittenes Vollkornbrot auf einem Teller anrichten. Zum Essen Selleriestangen und nach Wunsch auch Brot in den Dip tauchen.

Gemischter Gemüsesalat mit Ei

Kalte Hauptgerichte mit 500 Kalorien

Bohnensalat mit Brotwürfeln

(Foto Seite 152)

Fenchel putzen, zarte grüne Blättchen abschneiden und beiseite legen. Knolle halbieren, Strunk herausschneiden. Fenchelhälften waschen und quer zu den Fasern in dünne Scheiben schneiden. Mit gehackter Zwiebel und Bohnen mischen. Essig mit Senf, Salz, Pfeffer, Kräutern und einem Eßlöffel Öl verrühren. Unter die Bohnen mischen. Fenchelblättchen darüberstreuen. Brot würfeln, im restlichen Öl bei kleiner Hitze rösten und über den Salat geben.

200 g Fenchel, 1 kleine Zwiebel, 150 g gegarte rote Bohnen (abgetropft; Rohgewicht etwa 70 g), 2 Eßl. Essig, 1 Teel. Senf, Salz, Pfeffer, einige Blättchen frischer Estragon (ersatzweise Petersilie), 1 1/2 Eßl. kaltgepreßtes Öl, 1 Scheibe Vollkornbrot

Gut zum Mitnehmen

Apfel mit Käsecreme

Camembert entrinden und mit einer Gabel zerdrükken. Mit gehackten Mandeln, Frischkäse und saurer Sahne verkneten. Kräuter untermischen. Käsecreme mit Zitronensaft, Salz und Pfeffer abschmecken. Apfel sehr gründlich waschen oder schälen, vierteln, Kerngehäuse herausschneiden. Apfel in Schnitze teilen und neben der Käsecreme anrichten. Dazu gerösteten Vollkorntoast.

50 g reifer Camembert, 10 Mandeln, 1 gestrichener Eßl. Doppelrahmfrischkäse, 1 Eßl. saure Sahne, 1–2 Eßl. gehackte Kräuter (Petersilie, Dill, Zitronenmelisse oder Kerbel), 1 Eßl. Zitronensaft, Salz, Pfeffer, 1 Apfel, 1 Scheibe Vollkorntoast

Mais mit Linsen

Linsen im Öl anbraten. Einen Achtelliter Wasser und Gemüsebrühe zugeben, aufkochen und Linsen in etwa 45 Minuten weich garen. Heiß mit dem Mais mischen und erkalten lasssen. Lauchzwiebel putzen, waschen und mit etwa zwei Drittel der grünen Blätter in feine Ringe schneiden. Knoblauch hacken, Tomate würfeln. Diese Zutaten, Essig und saure Sahne mit den Linsen mischen. Mit Salz und Pfeffer abschmecken. Kräuter darüberstreuen. Dazu Vollkornbrötchen.

50 g Linsen, 1 Teel. kaltgepreßtes Öl, 1 Teel. Instant-Gemüsebrühe, 1/2 Dose Zuckermais (abgetropft; etwa 150 g), 1 Lauchzwiebel, 1 Knoblauchzehe, 1 große Tomate, 1 Eßl. Essig, 1 Eßl. saure Sahne, Salz, Pfeffer, 1–2 Eßl. gehackte Kräuter (Petersilie, Basilikum oder Schnittlauch), 1 Vollkornbrötchen

Bohnensalat mit Brotwürfeln

Gut zum Mitnehmen

Nudelsalat mit Zucchini

50 g Vollkornnudeln, Salz, 200 g Zucchini, 1 Zwiebel, 1 Teel. getrockneter Oregano, 2 Eßl. Schlagsahne, 1 Eßl. Essig, 1 Teel. kaltgepreßtes Öl, Pfeffer, 2 Eßl. gehackte Kräuter (Petersilie, Schnittlauch oder Basilikum)

Nudeln in reichlich Salzwasser bißfest garen. Inzwischen Zucchini putzen, waschen und in dünne Stifte schneiden. Zwiebel hacken. Beide Zutaten mit Oregano und Sahne aufkochen und etwa eine Minute dünsten; die Zucchini sollen nicht weich werden. Abgetropfte, heiße Nudeln untermischen. Salat mit Essig, Öl, Salz und Pfeffer abschmecken und erkalten lassen. Vor dem Servieren mit Kräutern mischen.

Bohnenpaste mit Salat und Brötchen

150 g gegarte rote Bohnen (abgetropft; Rohgewicht etwa 70 g), 1 Lauchzwiebel, 1 große Tomate, Cayennepfeffer, Salz, 1 Eßl. Zitronensaft, 1 Eßl. kaltgepreßtes Öl, 1 Kohlrabi, 1 Bund Schnittlauch, 1 Eßl. Schlagsahne, 1 Vollkornbrötchen

(Foto Seite 147)

Bohnen mit einer Gabel ganz fein zerdrücken. Lauchzwiebel putzen, waschen und mit etwa zwei Drittel der grünen Blätter fein zerkleinern. Abgezogene Tomate hacken, mit Bohnen und Zwiebel mischen, mit Cayennepfeffer, Salz, einigen Tropfen Zitronensaft und einem halben Teelöffel Öl abschmekken. Für den Salat Kohlrabi waschen, schälen und raspeln. Zarte Kohlrabiblättchen und Schnittlauch waschen und fein zerkleinern. Salatzutaten mit Salz, Pfeffer, restlichem Zitronensaft, Sahne und dem Rest des Öls mischen. Bohnenpaste mit Brötchen und Salat servieren.

Zucchini mit Tomatensoße und Quarkbrot

200 g Zucchini, 1 1/2 Eßl. kaltgepreßtes Öl, 1 kleine Zwiebel, 1 Teel. getrockneter Thymian, 1/2 kleine Dose geschälte Tomaten (nicht abgetropft; 200 g), Salz, Pfeffer, 1 1/2 Scheiben Vollkornbrot, 100 g Magerquark, 2 Eßl. Schnittlauchröllchen

(Foto Seite 155)

Zucchini waschen, putzen, in Scheiben schneiden und bei kleiner Hitze im Öl weich braten. Auf Küchenpapier abtropfen lassen. Gehackte Zwiebel mit Thymian im Bratöl glasig braten. Tomaten fünf Minuten mitschmoren. Mit Salz und Pfeffer würzen. Zucchini und Soße erkalten lassen. Zum Essen Brot mit Quark bestreichen. Mit Schnittlauch bestreuen, mit Salz und Pfeffer würzen. Zucchini und Soße dazu servieren.

Zucchini mit Tomatensoße und Quarkbrot

2 Eßl. Zitronensaft, 1 Messerspitze Instant-Gemüsebrühe, 200 g Schollenfilet, Salz, Pfeffer, 1 Stück Zitronenschale (etwa 2 cm lang), 1 Eßl. kaltgepreßtes Öl, 1 großen Zucchino, 1 große Tomate, 1 kleine rote Zwiebel, 1/2 Bund Dill, 1 1/2 Scheiben Vollkornbrot, 10 g Butter

Gut zum Mitnehmen

Marinierter Fisch mit Gemüse

(Foto Seite 157)

Zitronensaft, fünf Eßlöffel Wasser und Gemüsebrühe aufkochen. Schollenfilets darin zugedeckt bei kleinster Hitze in etwa drei Minuten gar ziehen lassen. Fisch mit Salz, Pfeffer und gehackter Zitronenschale würzen, mit Öl beträufeln und im Sud erkalten lassen. Zucchino waschen, putzen und raspeln. Gewaschene Tomate würfeln, abgezogene Zwiebel in Ringe schneiden. Dill waschen und hacken. Alle diese Zutaten vorsichtig mischen und mit dem Fisch auf einer Platte anrichten. Sud darüberträufeln. Butterbrot dazu servieren.

200 g Champignons, 1 Zwiebel, 1 Eßl. Öl, 100 g Linsensprossen (4 Tage gekeimt), 1 Eßl. Essig, Salz, Pfeffer, 1 Tomate, 1 Möhre, 1 Eßl. gehackte Petersile

Marinierte Champignons mit Linsensprossen

Champignons putzen, kurz waschen und halbieren. Gehackte Zwiebel in einem halben Eßlöffel Öl glasig braten. Sprossen einige Sekunden unter Rühren mitbraten. Pilze zugeben und bei mittlerer bis starker Hitze so lange braten, bis die Flüssigkeit, die sich bildet, wieder eingekocht ist. Mit Essig, Salz, Pfeffer und dem restlichen Öl mischen und erkalten lassen. Zum Servieren mit gewürfelter Tomate, geraspelter Möhre und Petersilie bestreuen.

1 Zwiebel, 2 Eßl. kaltgepreßtes Öl, 50 g Linsen, 1 Teel. Instant-Gemüsebrühe, 1/2 kleine Dose geschälte Tomaten (nicht abgetropft; 200 g), 1 Eßl. milder Essig, 1 Teel. Zitronensaft, Salz, Pfeffer, 2 Eßl. gehackte Kräuter, 3 Scheiben Knäckebrot

Gut zum Mitnehmen

Linsen mit Tomaten

Gehackte Zwiebel in einem Eßlöffel Öl anbraten. Linsen, 100 Kubikzentimeter Wasser und Gemüsebrühe zugeben. Aufkochen und zugedeckt bei kleiner Hitze etwa 45 Minuten garen, bis die Linsen weich sind. Tomaten fünf Minuten mitschmoren. Linsen lauwarm abkühlen lassen. Essig, Zitronensaft, Salz, Pfeffer und restliches Öl untermischen. Mit den Kräutern bestreuen. Dazu Knäckebrot.

Marinierter Fisch mit Gemüse

Warme Hauptgerichte

Linsen mit Porree und Nüssen (Rezept Seite 168), Mangold mit Kichererbsensprossen (Rezept Seite 165)

Warme Hauptgerichte mit 400 Kalorien

Nudeln mit Pilzen

50 g Vollkornnudeln, Salz, 100 g Champignons, 1 Zwiebel, 1 Knoblauchzehe, 10 g Butter, 1 Eßl. Schlagsahne, 1 Eßl. geriebener Käse, Pfeffer, 1/2 Bund Schnittlauch oder Basilikum

Nudeln in Salzwasser bißfest garen. Inzwischen Pilze putzen, ganz kurz waschen und in Scheiben schneiden. Pilze, gehackte Zwiebel und Knoblauchzehe in Butter bei mittlerer Hitze braten, bis die Pilze weich sind. Sahne und Käse untermischen. Pilze mit Salz und Pfeffer würzen, mit den abgetropften Nudeln mischen. Gehackte Kräuter darüberstreuen.

Kabeljau in Kräutersoße

200 g Kartoffeln, 1 kleines Bund Petersilie, Saft von 1/2 Zitrone, 1 kleine Zwiebel, 1 Messerspitze Instant-Gemüsebrühe, 200 g Kabeljaufilet, 2 Eßl. Crème fraîche, Salz, Pfeffer

Gewaschene Kartoffeln mit der Schale garen. Inzwischen Petersilie waschen, Stiele abschneiden und fein zerkleinern. Fünf Eßlöffel Wasser mit Zitronensaft, gehackter Zwiebel, Petersilienstielen und Gemüsebrühe aufkochen. Fisch darin zugedeckt bei kleinster Hitze in etwa fünf Minuten gar ziehen lassen, dabei einmal wenden. Fisch zugedeckt auf einem Teller warm halten. Sud bei großer Hitze um etwa die Hälfte einkochen lassen. Crème fraîche und gehackte Petersilienblättchen untermischen. Mit Salz und Pfeffer würzen und über dem Fisch verteilen. Kartoffeln zum Fisch servieren.

Kichererbsensprossen mit Gemüse und Tofu

1 Stange Porree, 1 große Möhre, 100 g Tofu, Salz, Pfeffer, 10 g Weizenkleie oder 2 Scheiben Knäckebrot gerieben, 10 g Butter, 1 Teel. kaltgepreßtes Öl, 50 g Kichererbsensprossen (4 Tage gekeimt), 1 Teel. Sonnenblumenkerne, 1–2 Eßl. gehackte Kräuter (Petersilie, Schnittlauch oder Kerbel)

Porree putzen, waschen und mit etwa zwei Drittel der grünen Blätter in fingerbreite Stücke schneiden. Geschälte Möhre in Stifte, Tofu in Scheiben schneiden. Tofu mit Salz und Pfeffer bestreuen, in Weizenkleie oder dem geriebenen Knäckebrot wenden und in Butter bei mittlerer Hitze braten, bis er leicht gebräunt ist. Inzwischen Öl erhitzen. Sprossen, Porree und Möhre darin bei mittlerer Hitze unter ständigem Wenden braten, bis die Möhre bißfest ist. Sonnenblumenkerne und Kräuter über das Gemüse streuen. Tofu dazu servieren.

Rote Bete und Kartoffeln mit Joghurtsoße

(Foto Seite 164)

Blättchen der roten Bete abschneiden und für die Soße beiseite legen. Rote Bete und Kartoffeln ungeschält gründlich waschen und in wenig Wasser weich garen. Inzwischen Joghurt mit saurer Sahne schaumig schlagen. Rote-Bete-Blättchen und Schnittlauch waschen, zerkleinern und unter den Joghurt mischen. Mit Salz und Pfeffer abschmecken. Essig mit Salz, Pfeffer und Öl verrühren. Mit dem gewaschenen, zerkleinerten Salat und den Sprossen mischen. Kartoffeln und rote Bete auf einen Teller geben und vierteln. Soße darüber verteilen, Salat dazu servieren.

Je 200 g kleine, gleich große rote Bete und Kartoffeln, 150 g Joghurt, 1 Eßl. saure Sahne, 1/2 Bund Schnittlauch, Salz, Pfeffer, 1/2 Eßl. Essig, 1 Teel. kaltgepreßtes Öl, 100 g Blattsalat, 1 Handvoll Alfalfa- oder Rettichsprossen (3 Tage gekeimt; ersatzweise 1/2 Kästchen Kresse)

Gemüsefrikadellen

Möhre schälen und fein raspeln. Porree putzen, waschen und mit etwa zwei Drittel der grünen Blätter sehr fein zerkleinern. Knoblauch und Petersilie hakken. Alles mit Quark, Ei, Käse und Knäckebrot vermischen, mit Salz und Pfeffer würzen. Teig mit den Händen durchkneten, bis er wie Frikadellenteig zusammenhält. Vier Frikadellen formen und im heißen Öl bei mittlerer Hitze pro Seite etwa fünf Minuten braten.

1 Möhre (100 g), 1 Stange Porree (150 g), 1 Knoblauchzehe, 1/2 Bund Petersilie, 50 g Magerquark, 1 Ei (Gewichtsklasse 4), 20 g geriebener Käse, 2 Scheiben Knäckebrot gerieben, Salz, Pfeffer, 1 Eßl. kaltgepreßtes Öl

Bohnencurry mit Reis

Reis in 80 Kubikzentimeter Wasser garen. Grüne Bohnen putzen, waschen und halbieren. Gehackte Zwiebel und Gewürzmischung bei kleiner Hitze im Öl anbraten, bis die Zwiebel glasig ist. Alle Bohnen und Sojamilch zugeben. Zugedeckt bei kleiner Hitze 15 Minuten garen. Curry mit Salz und Cayennepfeffer würzen. Kräuter darüberstreuen, Reis dazu servieren.

40 g Naturreis, Salz, 100 g grüne Bohnen, 1 Zwiebel, 1–2 Teel. Gewürzmischung (siehe Seite 47), 1/2 Eßl. kaltgepreßtes Öl, 150 g gegarte rote Bohnen (abgetropft; Rohgewicht etwa 70 g), 1/8 l Sojamilch (ersatzweise Milch), Cayennepfeffer, 1 Eßl. gehacktes Bohnenkraut oder Petersilie

Tofufrikadellen mit Fenchelsalat

(Foto Seite 162)

125 g Tofu, 1 Zucchino (100 g), 1 Stange Porree (100 g), 1 Knoblauchzehe, 1 Teel. Kapern, 1 Ei (Gewichtsklasse 4), 1 Eßl. gehackte Petersilie, 20 g geriebener Käse, 20 g altbackenes, geriebenes Vollkornbrot, Salz, Pfeffer, 1 Eßl. Öl, 1 kleine Fenchelknolle, Zitronensaft, 75 g Joghurt, 1 Tropfen kaltgepreßtes Öl, 5 Mandeln

Tofu mit einer Gabel ganz fein zerdrücken. Zucchino und Porree putzen und waschen. Zucchino raspeln, Porree mit etwa zwei Drittel der grünen Blätter fein hacken. Tofu mit Gemüse, gehacktem Knoblauch, Kapern, Ei, Petersilie, Käse, Brot, Salz und Pfeffer mischen und mit den Händen kneten, bis der Teig gut zusammenhält. Mit nassen Händen vier Frikadellen formen und im Öl bei kleiner bis mittlerer Hitze pro Seite etwa fünf Minuten braten. Zwei Frikadellen im Kühlschrank aufbewahren oder einfrieren und für eine andere Mahlzeit verwenden (siehe Rezept „Tofuburger", Seite 151), die anderen warm halten. Für den Salat Fenchelknolle putzen, halbieren, waschen und quer zu den Fasern in dünne Scheiben schneiden. Zarte Fenchelblättchen waschen und zerkleinern. Fenchel mit Zitronensaft, Salz, Pfeffer, Joghurt und Öl mischen. Gehackte Mandeln und Fenchelblättchen darüberstreuen.

Sahnehirse mit Gemüse

1 Zwiebel, 1 Tropfen Öl, 50 g Hirse, 1/8 l Gemüsebrühe, 200 g Gemücereste (geputzt gewogen), 2 Eßl. Schlagsahne, Salz, Pfeffer, 1 kleines Bund Schnittlauch oder Petersilie

Abgezogene Zwiebel hacken und bei kleiner Hitze im Öl glasig braten. Hirse zugeben und unter Rühren kurz mitrösten. Gemüsebrühe zugießen und einmal aufkochen. Hirse zugedeckt bei kleinster Hitze 25 Minuten garen. Inzwischen Gemüse zerkleinern. Gemüse und Schlagsahne unter die Hirse mischen, erneut aufkochen und weitere fünf bis zehn Minuten garen. Schnittlauch oder Petersilie waschen, trockentupfen und fein zerkleinern. Hirse damit bestreut servieren.

Tofufrikadellen mit Fenchelsalat

Warme Hauptgerichte mit 500 Kalorien

Schwarzwurzeln mit Erbsen und Pilzsalat

150 g Schwarzwurzeln, 10 g Butter, 10 g Weizenvollkornmehl, 1/8 l Gemüsebrühe, 150 g Tiefkühl-Erbsen, 1 Eßl. Schlagsahne, Pfeffer, Salz, geriebene Muskatnuß, 100 g Champignons, 1 Eßl. Zitronensaft, 1 Teel. kaltgepreßtes Öl, 2 Eßl. gehackte Kräuter (Schnittlauch, Petersilie oder Dill), 1 Vollkornbrötchen

Schwarzwurzeln schälen, in Stücke schneiden und in Butter anbraten. Mehl darüberstäuben und unter Rühren einige Sekunden mitrösten. Brühe zugießen, Schwarzwurzeln aufkochen und zehn Minuten garen. Erbsen untermischen und nach dem Auftauen fünf Minuten garen. Sahne, Pfeffer, Salz und Muskat unterrühren. Für den Salat geputzte Champignons waschen, in Scheiben schneiden und auf einem Teller anrichten. Zitronensaft, Öl, einen Eßlöffel Kräuter, Salz und Pfeffer darübergeben. Restliche Kräuter über das Gemüse streuen. Dazu Vollkornbrötchen.

Mangold mit Kichererbsensprossen

(Foto Seite 159)

200 g Kartoffeln, 400 g Mangold, 100 g Champignons, 1 Zwiebel, 1 Teel. kaltgepreßtes Öl, 100 g Kichererbsensprossen (4 Tage gekeimt), 1 Eßl. Crème fraîche, Salz, Pfeffer

Kartoffeln waschen und mit der Schale garen. Mangold putzen, waschen und in fingerbreite Stücke schneiden; Stiele dabei mitverwenden. Champignons putzen, kurz waschen und in Scheiben schneiden. Gehackte Zwiebel im Öl glasig braten. Sprossen einige Sekunden unter Rühren mitbraten. Mangold und Pilze zugeben und bei mittlerer bis großer Hitze so lange braten, bis der Mangold zusammenfällt. Mit Crème fraîche mischen, mit Salz und Pfeffer würzen. Kartoffeln dazu servieren.

Dillgurken mit Reis

40 g Naturreis, 80 ccm Gemüsebrühe, 450 g Salatgurke, 1 Knoblauchzehe, 1 Teel. Öl, 1 Eßl. Crème fraîche, Salz, Cayennepfeffer, 1 kleines Bund Dill, 1 Messerspitze Butter

Reis mit Brühe etwa 40 Minuten garen. Gewürfelte Salatgurke und abgezogenen, gehackten Knoblauch im Öl glasig braten. Crème fraîche zugeben, Gemüse zugedeckt bei kleiner Hitze etwa drei Minuten garen, bis die Gurken gerade eben weich sind. Mit Salz und Pfeffer abschmecken. Gewaschenen, fein gehackten Dill darüberstreuen. Reis mit Butter mischen.

Rote Bete und Kartoffeln mit Joghurtsoße (Rezept Seite 161)

Kräuterreis mit gebratener Banane

1 Zwiebel, 2 Teel. kaltgepreßtes Öl, 60 g Naturreis, $^1/_8$ l Gemüsebrühe, 1 Teel. scharfer Senf, $^1/_2$ Eßl. Essig, Salz, Pfeffer, 1 Teel. Schlagsahne, 80 g Blattsalat, 1 Eßl. Schnittlauchröllchen, 1 Banane (125 g), 1 Teel. Butter, 1–2 Eßlöffel gehackte Kräuter (Dill, Petersilie oder Kerbel)

Gehackte Zwiebel in einem Teelöffel Öl glasig braten. Reis und Brühe zugeben. Aufkochen und zugedeckt bei kleinster Hitze in etwa 40 Minuten garen. Für die Salatsoße Senf mit Essig, Salz, Pfeffer, Sahne und dem restlichen Öl verrühren. Gewaschenen, zerkleinerten Salat mit der Soße mischen, Schnittlauch darüberstreuen. Banane schälen, längs halbieren und bei kleiner Hitze auf beiden Seiten in der Butter braten. Kräuter unter den Reis mischen. Banane und Reis auf einem Teller anrichten, Salat dazu servieren.

Nudeln mit Zitronensoße und Möhrenrohkost

(Foto Seite 167)

60 g Vollkornnudeln, Salz, 1 Teel. Butter, 1 Teel. kaltgepreßtes Öl, 1–2 Teel. Thymian, 1 Stück Zitronenschale (2 cm lang), 2 $^1/_2$ Eßl. Zitronensaft, 200 g Möhren, 1 Eßl. Crème fraîche, 1 Eßl. Schnittlauchröllchen, Pfeffer

Nudeln in reichlich Salzwasser bißfest garen. Inzwischen für die Soße Butter und Öl erhitzen, Thymian, fein geschnittene Zitronenschale und zwei Eßlöffel Saft darin bei kleinster Hitze fünf Minuten ziehen lassen. Für die Rohkost Möhren schälen und raspeln. Restlichen Zitronensaft, Crème fraîche, Schnittlauch, Salz und Pfeffer daruntermischen. Abgetropfte Nudeln mit Zitronensoße mischen. Mit der Rohkost anrichten.

Gemüsecurry mit Reis

60 g Naturreis, $^1/_8$ l Gemüsebrühe, je 200 g grüne Bohnen und Brokkoli, 1 große Zwiebel, 1 Teel. kaltgepreßtes Öl, 1–2 Teel. Gewürzmischung (siehe Seite 47), $^1/_8$ l Sojamilch (ersatzweise Milch), Salz, Cayennepfeffer, 1 Eßl. gehackte Kräuter (Schnittlauch, Petersilie oder Kerbel)

Reis mit Brühe aufkochen und zugedeckt bei kleinster Hitze in etwa 40 Minuten garen. Bohnen und Brokkoli putzen und waschen. Bohnen halbieren, Brokkoli in Röschen und Stiele teilen. Zwiebel abziehen und hacken. Öl erhitzen, Zwiebel und Gewürzmischung darin unter Rühren anbraten. Bohnen, Brokkolistiele und Sojamilch zugeben. Aufkochen und fünf Minuten garen. Brokkoliröschen zufügen und weitere fünf Minuten garen. Mit Salz und Cayennepfeffer abschmecken, mit Kräutern bestreuen und zum Reis servieren.

Nudeln mit Zitronensoße und Möhrenrohkost

Gemüse mit Käsesoße

200 g Kartoffeln, 1 Zucchino, 2 Lauchzwiebeln, 100 g Staudensellerie, 1 große Möhre, 100 ccm Gemüsebrühe, 10 g Weizenvollkornmehl, 1 Eßl. Crème fraîche, 1 Eßl. geriebener Käse, Salz, Pfeffer, Muskatnuß, 3 Eßl. gehackte Kräuter (Schnittlauch, Petersilie und Dill)

Kartoffeln waschen und mit der Schale garen. Zucchino, Zwiebeln und Sellerie putzen und waschen. Möhre schälen. Zucchino und Möhre längs vierteln. Alle Gemüse nebeneinander in einen Topf legen. Brühe zugießen, aufkochen und Gemüse zugedeckt bei kleiner Hitze in etwa zehn Minuten bißfest garen. Herausnehmen und auf einem Teller warm halten. Für die Soße Mehl in einem Topf anrösten, bis es zart duftet. Die Brühe vom Gemüse unter Rühren zugießen, einmal aufkochen und rühren, bis sich das Mehl aufgelöst hat. Crème fraîche, Käse, Salz, Pfeffer, Muskatnuß und Kräuter zugeben. Kartoffeln neben dem Gemüse anrichten. Soße darübergeben.

Linsen mit Porree und Nüssen

(Foto Seite 158)

1 Bund Suppengrün, 1 Zwiebel, 1 Knoblauchzehe, 1 Teel. kaltgepreßtes Öl, 50 g Linsen, 1 Teel. Bohnenkraut, 1 Teel. Instant-Gemüsebrühe, 2 dünne Stangen Porree, 1 Messerspitze Butter, 5 Haselnußkerne, 1 kleines Bund Petersilie, 1 Eßl. Schlagsahne, Salz, Pfeffer, 1 Scheibe Vollkornbrot

Suppengrün putzen, waschen und zerkleinern. Zwiebel und Knoblauch hacken und im heißen Öl bei mittlerer Hitze glasig braten. Suppengrün, Linsen, Bohnenkraut, einen Achtelliter Wasser und Gemüsebrühe zugeben. Aufkochen und zugedeckt bei kleiner Hitze etwa 45 Minuten garen, bis die Linsen weich sind. Inzwischen Porree putzen, waschen und mit etwa zwei Drittel der grünen Blätter in fingerdicke Stücke schneiden. In der Butter unter ständigem Rühren etwa drei Minuten garen. Auf einem vorgewärmten Teller anrichten. Nüsse und gewaschene Petersilie hacken und darüberstreuen. Sahne unter die Linsen mischen. Mit Salz und Pfeffer abschmekken. Dazu Vollkornbrot.

Nudelauflauf mit Spinatsalat (Rezept Seite 171)

Warme Hauptgerichte mit 600 Kalorien

Überbackener Blumenkohl mit Kartoffeln

200 g Kartoffeln, Salz, 400 g Blumenkohl, 100 ccm Milch, 1 Eßl. Schlagsahne, 2 Eßl. geriebener Käse, Pfeffer, Muskatnuß, 1/2 Teel. Butter, 1 Eßl. gehackte Petersilie

Kartoffeln schälen und würfeln. In wenig Salzwasser zehn Minuten garen. Gewaschene Blumenkohlröschen weitere zehn Minuten mitgaren. Abgetropft in eine ofenfeste Form geben. Milch, Sahne und Käse verrühren, mit Salz, Pfeffer und Muskat würzen. Soße über das Gemüse geben. Butter in Flöckchen darauflegen. Form in den vorgeheizten Backofen stellen. Gemüse bei 200 Grad/Gas Stufe 3 etwa zehn Minuten überbacken, bis die Oberfläche gebräunt ist. Mit Petersilie bestreut anrichten.

Mais mit Tomaten und Käsereis

60 g Naturreis, 1/8 l Gemüsebrühe, 1 Zwiebel, 1 Knoblauchzehe, 1 Teel. kaltgepreßtes Öl, je 1/2 Teel. Gelbwurz und Kreuzkümmel, 200 g Tomaten, 1/2 Dose Zuckermais (abgetropft; etwa 150 g), Salz, Cayennepfeffer, 1 Eßl. saure Sahne, 1 Eßl. gehackte Petersilie, 1 Eßl. geriebener Käse

Reis mit Brühe in etwa 40 Minuten garen. Inzwischen gehackte Zwiebel und Knoblauchzehe im heißen Öl glasig braten. Gelbwurz und Kreuzkümmel einige Sekunden unter Rühren mitrösten. Abgezogene, gewürfelte Tomaten und Mais zugeben. Nach dem Aufkochen fünf Minuten garen. Mit Salz und Cayennepfeffer abschmecken, mit saurer Sahne mischen und mit Petersilie bestreuen. Reis mit Käse mischen.

Hirse mit Tofu

50 g Hirse, 200 ccm Gemüsebrühe, 100 g Tofu, 1 Essiggurke, 1 Zwiebel, 1 Eßl. kaltgepreßtes Öl, 1/2 Eßl. Weizenvollkornmehl, 200 g Spinat, 1 Eßl. Schlagsahne, Salz, Pfeffer, 1 Handvoll Alfalfasprossen (3 Tage gekeimt; ersatzweise 1/2 Kästchen Kresse)

Hirse mit der Hälfte der Brühe aufkochen und zugedeckt bei kleiner Hitze in etwa 30 Minuten weich garen. Inzwischen Tofu und Essiggurke grob, abgezogene Zwiebel fein hacken. Zwiebel im Öl anbraten. Tofu und Gurke zugeben, Mehl darüberstäuben und unter Rühren einige Sekunden braten. Restliche Brühe unter Rühren zugießen. Alles fünf Minuten garen. Spinat putzen, waschen und hacken. Die Hälfte davon unter den Tofu mischen und mitgaren, bis der Spinat zusammenfällt. Sahne unterrühren. Mit Salz und Pfeffer abschmecken, mit dem restlichen Spinat und Alfalfasprossen oder Kresse bestreut anrichten. Hirse dazu servieren.

Nudeln mit Sahnelinsen

Gehackte Zwiebel und Knoblauchzehe im Öl glasig braten. Linsen, einen Achtelliter Wasser und Brühe zugeben. Aufkochen und die Linsen in etwa 45 Minuten weich garen. Inzwischen Nudeln in Salzwasser bißfest kochen. Möhre schälen, Zucchino putzen. Beide Gemüse raspeln. Mit Sahne und Petersilie zu den Linsen geben, aber nicht mehr garen. Linsen mit den abgetropften Nudeln mischen.

1 Zwiebel, 1 Knoblauchzehe, 1 Teel. kaltgepreßtes Öl, 50 g Linsen, 1 Teel. Instant-Gemüsebrühe, 50 g Vollkornnudeln, Salz, 1 Möhre (150 g), 1 Zucchino (150 g), 2 Eßl. Schlagsahne, 1 Eßl. gehackte Petersilie

Tomatenreis mit Sprossengemüse

Gehackte Zwiebel in einem halben Eßlöffel Öl glasig braten. Reis und 100 Kubikzentimeter Wasser zugeben. Aufkochen und zugedeckt bei kleinster Hitze 30 Minuten garen. Gehäutete, gewürfelte Tomaten, Salz und Pfeffer untermischen und weitere zehn Minuten garen. Geputzte Bohnen im restlichen Öl anbraten, sechs Eßlöffel Wasser, Bohnenkraut, Gemüsebrühe und Pfeffer zugeben. Zugedeckt zehn Minuten garen. Sprossen fünf Minuten mitgaren. Für die Rohkost Kohlrabi putzen, schälen und raspeln. Zarte Kohlrabiblättchen hacken. Beide Zutaten mit saurer Sahne mischen und mit Salz und Pfeffer würzen. Gemüse mit Schlagsahne und gehackter Petersilie mischen.

1 Zwiebel, 1 Eßl. kaltgepreßtes Öl, 50 g Naturreis, 200 g Tomaten, Salz, Pfeffer, 100 g grüne Bohnen, 1 Teel. Bohnenkraut, 1/2 Teel. Instant-Gemüsebrühe, 50 g Mungobohnensprossen (4 Tage gekeimt), 1 großer Kohlrabi, je 1 Eßl. saure Sahne und Schlagsahne, 1 Eßl. gehackte Petersilie

Nudelauflauf mit Spinatsalat

(Foto Seite 169)

Nudeln, gewürfelte Tomate, gehackten Knoblauch, Mais, Petersilie, saure Sahne, Eigelb, Salz und Pfeffer mischen und in eine ofenfeste Form geben. Steifgeschlagenes Eiweiß darauf glattstreichen, mit Käse bestreuen. Form in den kalten Backofen stellen. Ofen auf 200 Grad/Gas Stufe 3 schalten. Auflauf etwa 30 Minuten backen. Inzwischen Spinat verlesen, waschen und zerkleinern. Joghurt mit Senf, Essig, Salz, Pfeffer und Öl verrühren. Mit Spinat mischen.

100 g gegarte Vollkornnudeln (Rohgewicht etwa 50 g), 1 Tomate, 1 Knoblauchzehe, 1/2 Dose Zuckermais (abgetropft; etwa 150 g), 2 Eßl. gehackte Petersilie, 1 Eßl. saure Sahne, 1 Ei, Salz, Pfeffer, 1 Eßl. geriebener Käse, 100 g Spinat, 75 g Joghurt, 1 Teel. Senf, 1/2 Eßl. Essig, 1 Teel. kaltgepreßtes Öl

Wirsingbällchen

300 g Wirsingblätter, Salz, Pfeffer, Muskatnuß, 2 Eßl. Schlagsahne, 1/2 Mozzarellakäse (75 g), 2 Scheiben Knäckebrot, 1 Vollkornbrötchen

(Foto Seite 172)

Wirsingblätter in sprudelnd kochendem Salzwasser etwa eine Minute garen, bis sie so weich sind, daß man sie zusammenfalten kann. Mit einem Schaumlöffel herausnehmen, abtropfen lassen und mit zwei Löffeln oder mit den Fingern zu kleinen Bällchen zusammenrollen. Nebeneinander in eine ofenfeste Form legen, die gerade so groß sein soll, daß die Bällchen eng aneinanderstoßen. Mit Pfeffer und Muskat würzen, mit Sahne beträufeln und mit klein gewürfeltem Mozzarella belegen. Knäckebrot fein zerbröckeln und darüberstreuen. Wirsing im vorgeheizten Backofen bei 200 Grad/Gas Stufe 3 etwa 15 Minuten überbacken, bis der Mozzarella leicht gebräunt ist. Dazu Vollkornbrötchen.

Nudelauflauf mit Gemüse

250 g Gemüsereste (geputzt gewogen), 1 Zwiebel, 1 Knoblauchzehe, 2 Teel. Öl, 100 g gegarte Vollkornnudeln (Rohgewicht etwa 50 g), 1 Eßl. gehackte Petersilie, 1 Eßl. Schlagsahne, 1 kleines Ei, Salz, Pfeffer, 1 Eßl. geriebener Käse, 1 Eßl. milder Obstessig, 1 Messerspitze Senf, 1/2 Kästchen Kresse

Etwa zwei Drittel des Gemüses fein zerkleinern. Mit gehackter Zwiebel und Knoblauch unter Rühren in einem Teelöffel Öl fünf Minuten braten. Das restliche Gemüse für die Rohkost beiseite legen. Nudeln, gebratenes Gemüse, Petersilie, Schlagsahne, Eigelb, Salz und Pfeffer mischen. Steifgeschlagenes Eiweiß und Käse unterziehen. In eine ofenfeste Form füllen. Form in den kalten Backofen stellen. Ofen auf 200 Grad/Gas Stufe 3 schalten. Auflauf etwa 30 Minuten backen. Rohes Gemüse in Stücke schneiden. Essig, Senf, Salz, Pfeffer und Öl verrühren. Mit dem Gemüse mischen. Kresseblättchen abschneiden und über die Rohkost streuen.

Wirsingbällchen

Desserts

Schichtspeise mit Beeren (Rezept Seite 177), Pfirsichmilch (Rezept Seite 175), Rote Grütze (Rezept Seite 177)

Desserts mit 200 Kalorien

3 getrocknete Pflaumen, 1 Kiwi, 100 g Dickmilch, 20 g Knusperflocken

Dickmilch mit Pflaumen

Pflaumen und geschälte Kiwi zerkleinern und mit Dickmilch mischen. Flocken darüberstreuen.

1 Eßl. Joghurt, 1 Eßl. Crème fraîche, 1/2 Eßl. ungesüßten Sanddornsirup, 1 Teel. Honig, 150 g Ananasstückchen

Gut zum Mitnehmen

Ananas mit Sanddorncreme

Joghurt, Crème fraîche, Sirup und Honig schaumig schlagen und über die Ananas geben.

1/8 l Milch, 1 Eßl. ungesüßten Sanddornsirup, 1 Eßl. Honig

Sanddornmilch

Alle Zutaten mit einem Schneebesen oder im Mixer verquirlen.

1 Pfirsich, 125 g Buttermilch, 1/2 Eßl. Honig, 1 Eßl. ungesüßtes Preiselbeerkompott

Pfirsichmilch

(Foto Seite 175)

Pfirsich abziehen, in Stücke schneiden und entsteinen. Mit Buttermilch und Honig im Mixer pürieren. In ein Glas füllen, Kompott mit einer Gabel locker unterziehen.

150 g beliebiges Obst, 1/2 Eßl. Zukkerrohrgranulat, 1 Eßl. Orangensaft oder ungesüßten Sanddornsirup, 2 Eßl. Dickmilch, 10 Haselnußkerne

Obstsalat mit Nüssen

Obst zerkleinern und mit Granulat mischen. Saft oder Sirup mit Dickmilch kräftig verrühren und über das Obst gießen. Gehackte Nüsse darüberstreuen.

100 g Weintrauben, 5 Nußkerne, 1 Scheibe Knäckebrot, 2 Eßl. Joghurt, 1 Teel. Honig

Traubensalat

Gewaschene Trauben halbieren, Nüsse hacken, Brot fein zerkrümeln. Alle diese Zutaten mit Joghurt und Honig mischen.

Desserts mit 300 Kalorien

Gut zum Mitnehmen

Rote Grütze

(Foto Seite 175)

Agar-Agar mit Saft glattrühren und aufkochen. Beeren zugeben. Unter Rühren bei mittlerer Hitze ein bis zwei Minuten kochen lassen. Honig untermischen, in ein Schälchen füllen und mindestens zwei Stunden kühlen. Gekühlte Sahne und Milch mischen und dazu servieren.

1/4 Teel. Agar-Agar, 1/8 l ungesüßter roter Fruchtsaft, 150 g gemischte Beeren, 1 Teel. Honig oder Zuckerrohrgranulat, 50 g Schlagsahne, 1 Eßl. Milch

Gut zum Mitnehmen

Schichtspeise mit Beeren

(Foto Seite 175)

Brot fein zerkrümeln und ohne Fett bei mittlerer bis kleiner Hitze unter Rühren knusprig rösten. Quark mit Milch und Honig glattrühren. Steifgeschlagene Sahne unterziehen. Schichtweise mit Brotbröseln und Beeren in ein Dessertschälchen geben. Mit Bröseln bestreuen und vor dem Servieren mindestens zwei Stunden durchziehen lassen.

1 Scheibe grobes Vollkornbrot, 50 g Magerquark, 1 Eßl. Milch, 2 Teel. Honig, 1 Eßl. Schlagsahne, 150 g gemischte Beeren

Überbackene Beeren

Etwa zwei Drittel der Beeren in einen ofenfesten Suppenteller geben, mit Granulat bestreuen und mit Sahne und Milch übergießen. Im heißen Elektrogrill etwa zwei Minuten gratinieren, bis die Sahne Blasen wirft und eventuell leicht gebräunt ist. Mit den restlichen Beeren bestreut anrichten.

150 g gemischte Beeren, 1 Eßl. Zuckerrohrgranulat, 50 g Schlagsahne, 50 ccm Milch

Gut zum Mitnehmen

Nektarinenjoghurt

Gewaschene Nektarine zerkleinern und mit den gehackten Nüssen mischen. Joghurt und Apfelkraut mit einem Schneebesen kräftig verrühren und über die Nektarinen geben. Flocken darüberstreuen.

1 Nektarine, 3 Haselnußkerne, 125 g Joghurt, 1 Eßl. Apfelkraut, 20 g Knusperflocken

Desserts mit 400 Kalorien

30 g Natur-Rundkornreis, 1 unbehandelte Orange, 1/2 Eßl. Zuckerrohrgranulat, 1 Prise Salz, je 1/4 Teel. Kardamom-, Zimt- und Safranpulver, 1 Eßl. Korinthen, 50 g Schlagsahne

Gewürzter Orangenreis

Reis mit 100 Kubikzentimeter Wasser, etwas abgeriebener Orangenschale, Zuckerrohrgranulat und Gewürzen aufkochen. Zugedeckt bei kleiner Hitze in etwa 45 Minuten ausquellen lassen. Orange schälen und in Stücke schneiden. Mit dem aufgefangenen Saft, den Korinthen und der Sahne unter den heißen Reis mischen.

50 g Hirse, 1 Prise Salz, abgeriebene Zitronenschale, 1 Messerspitze gemahlene Naturvanille, 1 Eßl. Apfelkraut, 100 g beliebiges Obst, 50 g Schlagsahne

Hirsegrütze

Hirse mit 100 Kubikzentimeter Wasser, Salz, Zitronenschale, Vanille und Apfelkraut aufkochen und zugedeckt bei schwacher Hitze 30 Minuten garen. Inzwischen Obst waschen und zerkleinern. Grütze in einen tiefen Teller geben. Sahne darübergießen und mit einer Gabel locker untermischen. Zerkleinertes Obst auf der Grütze anrichten.

1/8 l Milch, 1 Prise Salz, abgeriebene Zitronenschale, 1 Ei (Gewichtsklasse 6), 1/2 Eßl. Zuckerrohrgranulat, 1 Messerspitze gemahlene Naturvanille, 10 g Weizenvollkornmehl, 1 Eßl. Zitronen- oder Orangensaft, 50 g Schlagsahne, 100 g beliebiges Obst

Gut zum Mitnehmen

Vanillecreme mit Obst

Milch mit Salz und Zitronenschale bis knapp unter den Siedepunkt erhitzen. Ei in einem Kochtopf mit Granulat und Vanille zu einer dicken, schaumigen Creme aufschlagen. Mehl untermischen. Heiße Milch unter ständigem Rühren zugießen. Alles unter weiterem Rühren aufkochen, bis die Creme dick wie Pudding ist. Saft untermischen und abkühlen lassen. Locker mit steifgeschlagener Sahne und zerkleinertem Obst mischen.

100 g Magerquark, 1 Ei (Gewichtsklasse 6), 1 Teel. Zuckerrohrgranulat, abgeriebene Zitronenschale, 1 Messerspitze gemahlene Naturvanille, 30 g Weizenvollkornmehl, 1/2 Eßl. kaltgepreßtes Öl, 150 g Beeren, 1 Teel. Honig

Quarkfrikadellen mit Obst

Quark mit Ei, Granulat, Zitronenschale, Vanille und Mehl zu einem glatten Teig vermischen. Öl erhitzen. Teig mit einem Eßlöffel als Frikadellen in die Pfanne setzen und bei mittlerer bis schwacher Hitze pro Seite etwa drei Minuten braten. Beeren mit Honig beträufeln und zu den heißen Frikadellen servieren.

Apfel mit Nußsahne

Geschälten Apfel zerkleinern, mit Saft und Korinthen mischen. Nüsse hacken. Sahne steif schlagen. Nüsse und flüssigen Honig mit einer Gabel unterziehen. Über den Apfel geben.

1 Apfel, 1 Eßl. Zitronen- oder Orangensaft, 10 g Korinthen, 10 Haselnußkerne, 50 g Schlagsahne, 1 Teel. Honig

Gut zum Mitnehmen

Grießflammeri

Milch mit Salz und Schale aufkochen, Grieß und Granulat zugeben, erneut aufkochen und zugedeckt bei kleiner Hitze zehn Minuten garen. Eigelb unter den lauwarm abgekühlten Grießbrei mischen. Steifgeschlagenes Eiweiß unterziehen. Mindestens zwei Stunden kühlen. Pfirsich häuten. Entweder in Schnitze teilen und mit dem Dicksaft beträufelt zum Flammeri servieren oder mit dem Dicksaft im Mixer pürieren und über den Flammeri gießen.

1/8 l Milch, 1 Prise Salz, abgeriebene Zitronenschale, 30 g Weizenvollkorngrieß, 1/2 Eßl. Zuckerrohrgranulat, 1 Ei (Gewichtsklasse 6), 1 Pfirsich, 1 Eßl. Apfelkraut

Bananencreme mit Pfirsich

Banane mit Dickmilch, Apfelkraut und Zitronensaft pürieren oder ganz fein zerdrücken. Pfirsiche häuten, halbieren, entsteinen und in Stücke schneiden. In ein Schälchen geben, Bananencreme darüber verteilen und mit den gehackten Nüssen bestreuen.

1 kleine reife Banane, 100 g Dickmilch, 1/2 Eßl. Apfelkraut, Zitronensaft, 2 kleine reife Pfirsiche, 4 Haselnußkerne

Tofuschaum mit Kiwis

Zwetschen waschen, trockentupfen, in Stücke schneiden und dabei entsteinen. Die Hälfte davon mit Tofu und Honig pürieren. Saft und steifgeschlagene Sahne untermischen. Kiwis schälen, in Scheiben schneiden und mit den Zwetschenstücken in ein Schälchen geben. Tofuschaum darüber verteilen.

100 g Zwetschen, 100 g Tofu, 1/2 Eßl. Honig, Zitronen- oder Orangensaft, 50 g Schlagsahne, 2 Kiwis

100-Kalorien-Snacks für zwischendurch

Zum Mitnehmen

400 Gramm Zuckermelonenstückchen

Eine Orange

100 Gramm Ananasstückchen und eine halbe Banane

100 Gramm Ananasstückchen und drei Dörrpflaumen

Einen Apfel (150 Gramm)

150 Gramm Joghurt, vermischt mit einem Teelöffel Honig

Zwei Kiwis à 100 Gramm

75 Gramm Joghurt und eine kleine Orange

Zwei Mandarinen und einen Eßlöffel Sonnenblumenkerne

Eine Banane

300 Gramm Erdbeeren

150 Gramm weiße Weintrauben

Eine Papaya (200 Gramm) und eine Mandarine

Zwei Pfirsiche

Sieben Dörrpflaumen

200 Gramm Kirschen

Eine Kiwi und fünf Haselnußkerne

Eine Scheibe Knäckebrot mit einem Eßl. Nußmus bestreichen.

Eine geschälte, zerkleinerte Birne mit einer geraspelten Möhre, einem Eßl. saurer Sahne und einem Teel. Honig mischen.

100 Gramm Weintrauben und zwei Dörrpflaumen.

75 Gramm Joghurt, vermischt mit 100 Gramm zerkleinerten Zwetschen und einem Teelöffel Honig.

Eine Scheibe Knäckebrot, bestrichen mit einem Teelöffel Butter, dazu 100 Gramm Radieschen.

100 Gramm Dickmilch, vermischt mit einem geraspelten Apfel.

Eine Scheibe Knäckebrot, bestrichen mit einem Eßlöffel Magerquark, dazu je 50 Gramm Salatgurke und Rettich.

150 Gramm geraspelten Kohlrabi, vermischt mit einem halben Eßlöffel Crème fraîche, Zitronensaft, Salz, Pfeffer und gehackten Kräutern. Dazu eine Scheibe Knäckebrot.

Eine geraspelte Möhre mit einem kleinen geraspelten Apfel, gehackter Petersilie und Zitronensaft mischen.

150 Gramm geraspelte Salatgurke, vermischt mit gehacktem Dill und einem Eßlöffel saurer Sahne. Dazu eine Scheibe Knäkkebrot.

150 Gramm geraspelten Rettich mit Schnittlauchröllchen, einem Eßlöffel Schlagsahne, Salz, Pfeffer und einem Tropfen Öl mischen.

Für zu Hause

Eine halbe Scheibe Vollkornbrot mit zwei Eßlöffel Magerquark bestreichen. Eine kleine gehackte Zwiebel mit gehackter Petersilie, etwas Salz und Pfeffer mischen und auf dem Brot verteilen.

Eine Scheibe Knäckebrot mit einem Eßlöffel körnigem Frischkäse bestreichen und mit 150 Gramm Radieschen oder Rettich belegen. Mit Salz, Pfeffer und Schnittlauchröllchen bestreuen.

Eine Scheibe Knäckebrot mit Tomatenscheiben und 15 Gramm Gouda (45 %) oder Butterkäse (50 %) belegen. Mit Schnittlauchröllchen bestreuen.

Eine halbe Scheibe Vollkornbrot mit zwei Eßlöffel körnigem Frischkäse, 100 Gramm geraspeltem Rettich und Kresse belegen, mit Salz und Pfeffer würzen.

Ein Vollkornbrötchen halbieren, jede Hälfte mit einem Eßlöffel Magerquark bestreichen, mit Salz, Pfeffer und Kresse oder Schnittlauchröllchen bestreuen.

Eine halbe Banane oder eine Kiwi zerkleinern. Mit 75 Gramm Joghurt mischen und mit einem Eßlöffel Knusperflocken bestreuen.

Eine halbe Scheibe Vollkornbrot mit einem Eßlöffel Magerquark bestreichen und mit einem Teelöffel Honig beträufeln.

Kalorien und Nährstoffdichte

Nährstoffdichte: Als nährstoffdicht oder nährstoffreich bezeichnet man alle Lebensmittel, in denen wichtige Nährstoffe (und Vitamine und Mineralstoffe) konzentriert vorkommen. In der Tabelle wird ausgewiesen:
Hohe Nährstoffdichte ○ ○
Mittlere Nährstoffdichte ○
Sie enthält nicht nur vollwertige Lebensmittel!
Kalorien: Die Angaben wurden auf den neuesten Stand gebracht – manche weichen von älteren Daten ab.
Mengenangaben: Wenn nicht anders angegeben, wurden die Lebensmittel in mittelgroßen Portionen für eine Person berechnet (die Grammzahlen stehen dabei).
Abkürzungen:
Bei Flüssigkeiten: 0,2 l = 200 Gramm.
Bei Fleisch:
ma = mager, mf = mittelfett, fe = fett

Brot	Kalorien	Nährstoffdichte
Brötchen, mit Kleie, 45 g	116	○
Brötchen, mit Rosinen, 45 g	119	
Brötchen, mt Zwiebeln, 45 g	115	
Brötchen, Roggen, 40 g	124	
Brötchen, Weizen, 40 g	106	
Croissant, ohne Füllung, 45 g	78	
Fettbrötchen, mit Schinken, 45 g	143	
Flachknäcke, 7 g	30	○
Grahambrot, 40 g	84	○
Graubrot, mit Ölsamen, 40 g	102	○
Graubrot, Mehrkorn, 40 g	100	○
Graubrot, Roggenmisch-, 45 g	103	○
Graubrot, Toast, 30 g	84	
Graubrot, Weizenmisch-, 40 g	98	○
Knäckebrot, Mehrkorn, 10 g	34	○
Knäckebrot, Roggen, 10 g	35	○
Knäckebrot, Weizen, 10 g	35	○
Kommißbrot, 40 g	90	○
Laugenbrezel, 40 g	98	
Milchbrötchen, Weizen, 45 g	138	
Pumpernickel, 40 g	87	○
Vollkornbrot, Mehrkorn, 45 g	116	○
Vollkornbrot, Roggen, 45 g	93	○ ○
Vollkornbrot, Roggenschrot, 45 g	93	○ ○
Vollkornbrot, Roggenmischschrot, 45 g	108	○ ○
Vollkornbrot, Weizen, 40 g	84	○ ○
Vollkornbrot, Weizenschrot, 45 g	94	○ ○
Vollkornbrötchen, Roggen, 40 g	83	○ ○
Weißbrot, Mehrkorn, 35 g	91	
Weißbrot, Toast, 30 g	83	
Zwieback, 10 g	40	

Eier, Eierspeisen		
Eigelb, 20 g	73	○ ○
Eiweiß, 30 g	14	
Eiweißpulver, 12 g, 1 EL	48	
Hühnerei, 60 g	100	○ ○
Hühnerei, gegart, 55 g	92	○ ○
Hühnerei, gebraten, 55 g	131	○ ○
Rührei, 60 g	107	○ ○
Spiegelei, 60 g	130	○ ○

Eis		
Fruchteis, 30 g, 1 Kugel	41	
Milchspeiseeis, 30 g, 1 Kugel	41	

Fett, Öl		
Butter, 5 g, 1 TL	38	
Butter, 20 g, 1 Hotelpackung	152	
Butterschmalz, 5 g, 1 TL	46	
Distelöl (Safloröl), 12 g, 1 EL	111	
Erdnußbutter, -mus, 15 g, 1 EL	94	
Erdnußöl, 12 g, 1 EL	111	
Gänsefett, -schmalz, 15 g, 1 EL	141	
Hühnerfett, 15 g, 1 EL	141	
Kokosfett, 20 g, 1 EL	185	
Kürbiskernöl, 12 g, 1 EL	111	
Leinöl, 12 g, 1 EL	111	
Maiskeimöl, 12 g, 1 EL	111	
Margarine, 6 g, 1 TL	36	
Margarine, halbfett, 6 g, 1 TL	22	
Olivenöl, 12 g, 1 EL	111	
Palmfett, 20 g, 1 EL	185	
Palmöl, 20 g, 1 EL	188	
Rinderschmalz, -fett, 15 g, 1 EL	140	
Rindertalg, 15 g, 1 EL	138	
Schweineschmalz, -fett, 15 g, 1 EL	141	
Sesamöl, 12 g, 1 EL	111	
Sojaöl, 12 g, 1 EL	111	
Sonnenblumenöl, 12 g, 1 EL	111	
Traubenkernöl, 12 g, 1 EL	111	
Walnußöl, 12 g, 1 EL	111	
Weizenkeimöl, 12 g, 1 EL	111	

Fisch, Fischprodukte		
Aal, gebraten, 175 g	617	○ ○
Aal, geräuchert, 50 g	175	○
Aal, grün, 150 g	405	○
Auster, Fleisch, gegart, 100 g	89	○ ○
Barsch, gebraten, 150 g	171	○ ○
Bückling, 250 g, 1 Stück	603	○
Fischrogen, in Öl, 5 g, 1 TL	12	○
Flunder, gebraten, 150 g	64	○
Flunder, gegart, 150 g	63	○
Flußkrebs, in Öl, 100 g, 1 Dose	168	○ ○
Flußkrebs, Fleisch, gegart, 25 g	23	○ ○
Forelle, blau, 250g	150	○
Forelle, Müllerin Art, 200 g	354	○
Hecht, gebraten, 150 g	172	○ ○
Hecht, gegart, 150g	165	○
Heilbutt, gebraten, 125 g	183	○ ○
Heilbutt, gegart, 125 g	175	○

Hering, Bismarck, 125 g	281	○ ○
Hering, gebraten, 125 g	335	○
Hering, in Gelee, 125 g, 1 St.	220	
Hering, mager, gebraten, 125 g	200	○ ○
Hering, mager, gesalzen, 125 g	157	○ ○
Hering, mariniert, 125 g	185	○
Hummer, Fleisch, gegart, 100 g	110	○ ○
Kabeljau, gebraten, 125 g	131	○ ○
Kabeljau, gegart, 125 g	126	○
Karausche, gebraten, 150 g	220	○ ○
Kaviar, 5 g, 1 TL	15	○
Klaffmuschel, Fleisch, gegart, 100 g	88	○ ○
Krabben, Konserve, in Öl, 50 g	98	○
Krabben, Fleisch, gegart, 100 g	124	○ ○
Lachs, in Öl, 50 g, 1 Dose	158	○
Lachs, gegart, 125 g	321	○
Lachs, gebraten, 125 g	333	○ ○
Leng, gebraten, 125 g	142	○ ○
Leng, gegart, 125 g	136	○ ○
Makrele, Konserve, in Öl, 50 g	146	○
Makrele, gebraten, 125 g	301	○ ○
Makrele, geräuchert, 50 g	119	○
Matjeshering, 160 g, 1 Stück	254	○
Miesmuschel, Fleisch, gegart, 100 g	102	○ ○
Pilgermuschel, Fleisch, gegart, 100 g	102	○ ○
Pilgermuschel, Fleisch, gegart, 100 g	102	○ ○
Rollmöpse, 125 g	246	○ ○
Rotbarsch, gebraten, 125 g	180	○ ○
Rotbarsch, gegart, 125 g	171	○ ○
Rotzunge, gebraten, 125 g	137	○ ○
Rotzunge, gegart, 125 g	130	○ ○
Sardine, in Öl, 95 g, 1 Dose	224	○
Sardine, gebraten, 150 g	264	○ ○
Schellfisch, gebraten, 125 g	127	○
Schellfisch, gegart, 125 g	121	○
Schillerlocke, 100 g	323	○
Schleie, gebraten, 150 g	163	○ ○
Scholle, gebraten, 150 g	91	○
Scholle, gegart, 150 g	88	○
Seehecht, gebraten, 125 g	131	○ ○
Seehecht, gegart, 125 g	125	○ ○
Seezunge, gebraten, 125 g	140	○ ○
Seezunge, gegart, 125 g	132	○ ○
Sprotten, geräuchert, 50 g	130	○
Steinbutt, gebraten, 125 g	143	○ ○
Steinbutt, gegart, 125 g	136	○ ○
Stint, gebraten, 150 g	81	
Thunfisch, Konserve, in Öl, 50 g	171	○
Thunfisch, Konserve, naturell, 50 g	120	○
Thunfisch, gegart, 125 g	357	○ ○
Tintenfisch, Konserve, in Öl, 50 g	88	○
Wels, gebraten, 150 g	223	○
Zander, gebraten, 200 g	226	○ ○

Fleisch

Hammelkotelett, 150 g	349	
Hammelsteak, 150 g	376	
Hauskaninchen, Fleisch (mf), gegart, 125 g	230	
Kalb, Bauch (mf), gegart, 125 g	192	
Kalb, Braten (ma), gegart, 100 g	144	○
Kalb, Brust (mf), gegart, 100 g	173	
Kalb, Filet (ma), gegart, 100 g	135	○
Kalb, Fleisch (mf), gegart, 100 g	163	
Kalb, Fleisch (ma), gegart, 100 g	129	○
Kalb, Herz, gegart, 100 g	129	○
Kalb, Hirn, gegart, 100 g	124	
Kalb, Keule (mf). gegart, 125 g	216	
Kalb, Kotelett (ma), gebraten, 100 g	144	○
Kalb, Leber, gegart, 100 g	135	○ ○
Kalb, Lende (ma), gegart, 100 g	135	○ ○
Kalb, Lunge, gegart, 100 g	102	○ ○
Kalb, Nacken (ma), gegart, 125 g	180	○ ○
Kalb, Niere, gegart, 100 g	124	○ ○
Kalb, Rücken, Kotelett (ma), gegart, 100 g	144	○
Kalb, Schnitzel (mf), gegart, 100 g	163	
Kalb, Schnitzel (ma), gegart, 100 g	144	○
Kalb, Schulter, Bug (mf), gegart, 125 g	203	
Kalb, Schulter, Bug (ma), gegart, 125 g	180	○
Kalb, Steak (mf), gebraten, 100 g	163	
Kalb, Steak (ma), gebraten, 100 g	144	○
Kalb, Vorderbein, Haxe (mf), gegart, 125 g	216	
Kalb, Vorderbein, Haxe (ma), gegart, 125 g	180	○
Kalb, Zunge, gegart, 100 g	142	
Kaninchen (mf), -braten, gegart, 125 g	192	○
Lamm, Bauch (mf), gegart, 125 g	250	
Lamm, Brust (mf), gegart, 125 g	280	
Lamm, Filet (ma), 125 g	208	
Lamm, Fleisch (mf), gegart, 125 g	301	
Lamm, Keule (mf), gegart, 150 g	336	
Lamm, Kotelett, gegart, 125 g	301	
Lamm, Lende, Filet (mf), gegart, 125 g	301	
Lamm, Nacken, Kamm (mf), gegart, 125 g	280	
Lamm, Rücken, Kotelett (mf), gegart, 125 g	301	
Lamm, Schulter (mf), gegart, 150 g	336	
Lamm, Steak (mf), gegart, 125 g	301	
Lamm, Vorderbein, Haxe (mf), gegart, 150 g	300	
Rind, Braten (mf), gegart, 125 g	258	
Rind, Brust, Spannrippe (fe), gegart, 150 g	472	
Rind, Filet (ma), gegart, 125 g	198	
Rind, Fleisch (mf), gegart, 125 g	259	
Rind, Fleisch (fe), gegart, 125 g	305	
Rind, Hackfleisch, 100 g	253	
Rind, Herz, gegart, 100 g	118	○
Rind, Hirn, gegart, 100 g	140	
Rind, Keule (mf), gegart, 125 g	235	
Rind, Kochfleisch (mf), gegart, 125 g	251	
Rind, Kotelett (mf), gegart, 100 g	242	
Rind, Leber, gebraten, 100 g	161	○ ○
Rind, Lende, Filet (ma), gegart, 125 g	198	
Rind, Lunge, gegart, 100 g	101	○

Rind, Magen/Kutteln, gegart, 100 g	127	○ ○
Rind, Nacken/Kamm (ma), gegart, 125 g	198	
Rind, Ochsenschwanz, 100 g	209	
Rind, Rücken, Roastbeef (ma), gegart, 125 g	198	
Rind, Schnitzel (mf), gebraten, 150 g	282	
Rind, Schnitzel (ma), gebraten, 125 g	198	
Rind, Schulter/Bug (ma), gegart, 125 g	198	
Rind, Steak (mf), gebraten, 100 g	242	
Rind, Steak (ma), gebraten, 125 g	198	
Rind, Tatar/Schabefleisch (Beefsteakhack), 100 g	139	
Rind, Zunge, gegart, 100 g	226	
Rind/Schwein, Hackfleisch, 100 g	332	
Schwein, Bauch (mf), gegart, 125 g	260	
Schwein, Bauch (fe), gegart, 125 g	622	
Schwein, Bauch-, Rückenspeck, 30 g	231	
Schwein, Braten (mf), gegart, 125 g	288	
Schwein, Braten (fe), gegart, 125 g	463	
Schwein, Brustspitze (mf), gegart, 125 g	260	
Schwein, Eisbein (mf), gegart, 125 g	260	
Schwein, Eisbein (fe), gegart, 150 g	486	
Schwein, Filet (ma), gebraten, 125 g	221	○
Schwein, Fleisch (mf), gegart, 125 g	228	
Schwein, Fleisch (fe), gegart, 125 g	447	
Schwein, Flomen, 100 g	897	
Schwein, Hackfleisch/Mett, 100 g	357	
Schwein, Herz, gegart, 125 g	146	○
Schwein, Hinterbein, Eisbein (mf), gegart, 150 g	312	
Schwein, Innereien, 125 g	200	○ ○
Schwein, Kasseler Kotelett, 150 g	372	
Schwein, Kasseler, gebraten, 150 g	214	
Schwein, Keule, Schinken (mf), gegart, 150 g	306	
Schwein, Kochfleisch (mf), gegart, 125 g	260	
Schwein, Kochfleisch (fe), gegart, 125 g	447	
Schwein, Kopf, 125 g	658	
Schwein, Kotelett (mf), gegart, 125 g	311	
Schwein, Leber, gegart, 125 g	223	○ ○
Schwein, Lende (mf), gegart, 125 g	311	
Schwein, Lende (ma), gegart, 150 g	265	○
Schwein, Nacken, Kamm (mf), gegart, 125 g	288	
Schwein, Rücken, Kotelett (mf), gegart, 125 g	311	
Schwein, Schinkenspeck, roh, geräuchert, 30 g	122	
Schwein, Schinken, roh, geräuchert, 30 g	109	
Schwein, Schinken, gekocht, geräuchert, 30 g	65	○
Schwein, Schnitzel (mf), gegart, 125 g	255	
Schwein, Schulter (mf), gegart, 125 g	288	
Schwein, Schwarte, 30 g	231	
Schwein, Speck, durchwachsen, 30 g	197	
Schwein, Spitzbein, 125 g	300	
Schwein, Steak (mf), gebraten, 125 g	311	
Ziege (mf), gegart, 125 g	231	

Geflügel

Brathähnchen, mit Haut, gegart, 125 g	247	
Brathähnchen, Leber, gegart, 100 g	164	○ ○
Brathähnchen, Schenkel, gegart, 75 g, 1 Stück	105	○
Ente, mit Haut, gegart, 100 g	368	
Ente, gegart, 150 g	487	
Gans, mit Haut, gegart, 125 g	483	
Gans, Schenkel, gegart, 125 g	223	○
Gans, gegart, 150 g	501	
Gänsebraten, 150 g	312	
Gänseleber, 100 g	244	○ ○
Hähnchenbrust, gebraten, ohne Haut, 150 g	191	
Hähnchen, gegrillt, 150 g	286	○
Hähnchenkeule, 125 g	230	○
Hühnerbrustfilet, 90 g	98	○
Hühnerleber, 25 g	57	○ ○
Hühnerleber, 100 g	231	○ ○
Mastente, Vierländer, 150 g	390	
Pute, mit Haut, gegart, 100 g	249	
Pute, Schenkel, gegart, 150 g	207	○
Pute, gegart, 150 g	306	○
Putenbraten, 150 g	357	
Putenbrust, gebraten, 150 g	195	○
Putenleber, gebraten, 100 g	228	○ ○
Putenschnitzel, 150 g	292	○
Suppenhuhn, Fleisch, mit Haut, gegart, 125 g	345	
Suppenhuhn, gegart, 100 g	251	
Suppenhuhn, Schenkel, gegart, 75 g, 1 Stück	167	○

Gemüse, Hülsenfrüchte, Pilze

Artischocke, gegart, 200 g	60	○
Aubergine, gegart, 200 g	32	
Bambussprossen, roh, 200 g	54	○
Bambussprossen, gegart, 200 g	48	
Bambussprossen, Konserve, 200 g	34	
Bleichsellerie, gegart, 200 g	28	
Blumenkohl, roh, 200 g	40	○ ○
Blumenkohl, gegart, 200 g	34	○
Bohnen, dick, Konserve, 150 g	184	○ ○
Bohnen, dick, gegart, 150 g	184	○ ○
Bohnen, grün, gegart, 200 g	50	○ ○
Bohnen, weiß, Konserve, 150 g	205	○ ○
Bohnen, weiß, gegart, 150 g	264	○ ○
Brokkoli, roh, 200 g	50	○ ○
Brokkoli, gegart, 200 g	42	○ ○
Champignons, roh, 200 g	40	○ ○
Champignons, gegart, 200 g	34	○

Champignons, getrocknet, 25 g	35	○ ○
Chicorée, roh, 200 g	24	○
Chinakohl, roh, 200 g	24	○
Chinakohl, gegart, 150 g	15	
Eisbergsalat, 100 g	19	○ ○
Endivien, 100 g	14	○
Erbsen, grün, gegart, 200 g	134	○ ○
Erbsen, grün, getrocknet, 15 g, 1 EL	41	○ ○
Eßkastanie (Marone), 6 g	13	○
Feldsalat, 80 g	15	○ ○
Fenchel, roh, 200 g	54	○ ○
Fenchel, gegart, 150 g	34	○ ○
Grünkohl, gegart, 150 g	43	○ ○
Gurke, roh, 150 g	15	
Gurke, gegart, 150 g	12	
Gurke, in Essig, 50 g	4	
Kichererbsen (getr.), 15 g, 1 EL	22	○ ○
Kichererbsen, Konserve, 350 g	399	○ ○
Kichererbsen, gegart, 200 g	294	○ ○
Knollensellerie, gegart, 175 g	42	○
Knollensellerie, getrocknet, 20 g, 1 EL	32	○ ○
Kohlrabi, roh, 200 g	36	○ ○
Kohlrabi, gegart, 150 g	24	○
Kohlrübe, gegart, 150 g	31	○
Kopfsalat, 80 g	10	○ ○
Kresse, 5 g, 1 TL	3	○ ○
Kürbis, eingelegt, Konserve, 250 g	32	
Kürbis, gegart, 175 g	35	
Kürbis, roh, 200 g	48	○
Linsen, Konserve, 200 g	222	○
Linsen, gegart, 100 g	142	○
Mangold, gegart, 200 g	42	○ ○
Mohrrübe, roh, 100 g	30	○ ○
Mohrrübe, gegart, 100 g	26	○
Okra, 200 g	64	○ ○
Palmenherz, gegart, 150 g	45	○
Paprikaschote, roh, 200 g	40	○
Paprikaschote, gegart, 150 g	25	
Pastinake, 200 g	120	○ ○
Pfefferschote, gegart, 12 g	3	○ ○
Pilze, Konserve, 150 g	22	○
Pilze, gegart, 150 g	27	○
Pilze, getrocknet, 25 g	39	○ ○
Porree (Lauch), gegart, 150 g	33	○
Portulak, 200 g	32	○ ○
Radicchio, 80 g	10	○ ○
Radieschen, 80 g	13	○
Rettich (Radi), 200 g	32	○
Romanosalat, 80 g	10	○ ○
Rosenkohl, gegart, 150 g	48	○ ○
Rote Rübe (Rote Bete), roh, 200 g	72	○
Rote Rübe, gegart, 175 g	54	
Rotkohl, gegart, 150 g	30	○
Sauerkraut, Konserve, 150 g	18	
Sauerkraut, roh, 150 g	31	○
Sauerkraut, gegart, 150 g	28	
Schwarzwurzeln, gegart, 140 g	82	○
Sojabohnen, Konserve, 150 g	195	○ ○
Sojabohnen, roh, 60 g	212	○ ○
Sojasprossen, Konserve, 150 g	27	○
Sojasprossen, roh, 200 g	64	○ ○
Sojasprossen, gegart, 150 g	40	○ ○
Spargel, gegart, 150 g	22	○
Spinat, gegart, 200 g	34	○ ○
Spinat, roh, 200 g	40	○ ○
Staudensellerie, roh, 150 g	32	○ ○
Tomate, 50 g, 1 Stück	8	○
Tomate, gegart, 40 g, 1 Stück	5	
Tomate, Konserve, 350 g	42	
Wachsbohnen, gegart, 200 g	50	○ ○
Weiße Rübe, roh, 200 g	46	○
Weiße Rübe, gegart, 175 g	35	
Weißkohl, gegart, 150 g	28	○
Wirsingkohl, gegart, 150 g	33	○ ○
Wurzelpetersilie, roh, 200 g	40	○ ○
Zucchini, roh, 200 g	42	○ ○
Zucchini, gegart, 150 g	27	○
Zuckererbsen, gegart, 200 g	118	○ ○
Zuckermais, Konserve, 200 g	142	○
Zuckermais, gegart, 180 g	163	○ ○
Zwiebel, roh, 50 g	15	○
Zwiebel, gegart, 50 g	13	

Getreide, Nähr- und Backmittel

Bierhefe, 5 g, 1 TL	16	○ ○
Buchweizen, Korn, geschält, 1 EL	66	○
Corn-flakes, 2 g, 1 EL	7	
Gelatine, 10 g, Päckchen	33	
Gelatine, 2 Blatt	6	
Gerste, Grütze, 20 g, 1 EL	69	
Gerste, Mehl, 20 g, 1 EL	67	○
Gerste, Vollkorn, 20 g, 1 EL	66	○ ○
Grünkern, Vollkorn, 30 g, 1 EL	99	○ ○
Hafer, Flocken, 10 g, 1 EL	37	○
Hafer, Grütze, 20 g, 1 EL	78	○
Hafer, Mehl, 20 g, 1 EL	77	○
Haferflocken, mit Trockenobst, 15 g, 1 EL	52	○
Hefe, 5 g, 1 TL	2	○ ○
Hefeflocken, 5 g, 1 TL	17	○ ○
Hirse, Korn, geschält, 20 g, 1 EL	71	○ ○
Kartoffelstärke, Mehl, 12 g, 1 EL	43	
Mais, Stärke, 20 g, 1 EL	72	
Mais, Vollkorn, 20 g, 1 EL	67	○
Mehrkornflocken, 10 g, 1 EL	34	○
Mehrkornschrot, 20 g, 1 EL	65	○
Müsli, mit Trockenobst und Nüssen, 25 g, 1 El	98	○
Paniermehl, 20 g, 1 EL	53	
Reis, Mehl, 20 g, 1 EL	71	
Reis, Stärke, 20 g, 1 EL	72	
Roggen, Keimflocken, 12 g, 1 EL	46	○ ○
Roggen, Mehl, 20 g, 1 EL	65	○
Roggen, Vollkorn, 20 g, 1 EL	65	○ ○
Sojamehl, vollfett, 15 g, 1 EL	63	○ ○
Weizen, Feinmehl 405, 20 g, 1 EL	72	
Weizen, Grieß, 12 g, 1 EL	42	
Weizen, Keime, 12 g, 1 EL	55	○ ○
Weizen, Keimflocken, 10 g, 1 EL	37	○ ○
Weizen, Kleie, 6 g, 1 EL	12	○ ○
Weizen, Stärke, 20 g, 1 EL	73	
Weizen, Vollkorn, 20 g, 1 EL	65	○ ○

Käse

Brie (60 %), 30 g	120	
Brie (50 %), 30 g	109	○
Brie (45 %), 30 g	102	○
Butterkäse (60 %), 30 g	130	○
Butterkäse (50 %), 30 g	108	○
Butterkäse (70 %), 30 g	101	○
Camembert (70 %), 30 g	127	○
Camembert (60 %), 30 g	120	○
Camembert (50 %), 30 g	98	○ ○
Camembert (45 %), 30 g	94	○
Chester (45 %), 30 g	115	
Doppelrahmfrischkäse (70 %), 30 g	105	
Doppelrahmfrischkäse (45 %), 30 g	97	
Edamer (50 %), 20 g	78	
Edamer (45 %), 20 g	75	
Edamer (40 %), 20 g	67	
Edelpilzkäse (60 %), 30 g	122	○
Edelpilzkäse (50 %), 30g	113	○
Edelpilzkäse (45 %), 30 g	98	○
Emmentaler (45 %), 30 g	124	○ ○
Gouda (50 %), 30 g	122	
Gouda (45 %), 30 g	115	
Gouda (30 %), 30 g	90	○
Hüttenkäse (20 %), 200 g	470	
Hüttenkäse (20 %), 15, 1 EL	35	
Hüttenkäse (10 %), 200 g	312	
Hüttenkäse (10 %), 15 g, 1 EL	23	
Hüttenkäse (unter 10 %), 200 g	212	○
Hüttenkäse (unter 10 %), 15 g, 1 EL	15	○
Kochkäse (40 %), 30 g	64	
Kochkäse (20 %), 30 g	43	○
Kochkäse (unter 10 %), 30 g	33	○
Limburger (50 %), 30 g	103	○
Limburger (20 %), 30 g	64	○
Münster (50 %), 30 g	108	
Münster (45 %), 30 g	94	○
Parmesan (45 %), 20 g, 1 EL	82	○
Quark (40 %), 250 g	416	
Quark (40 %), 12 g, 1 TL	20	
Quark (20 %), 250 g, 1 Becher	292	○
Quark (20 %), 12 g, 1 TL	14	○
Quark (unter 10 %), 250 g	187	○
Quark (unter 10 %), 12 g, 1 TL	9	○
Quark, mit Früchten (40 %), 250 g	385	
Quark, mit Früchten (20 %), 250 g	252	○
Quark, mit Früchten (unter 10 %), 250 g	182	○
Quark, Frühlingsquark, 40 g, 1 El	42	○
Quark, Schnittlauchquark, 40 g, 1 EL	52	○
Romadur (50 %), 30 g	99	
Romadur (20 %), 30 g	60	○
Roquefort (52 %), 30 g	113	○
Sahneschichtkäse (60 %), 40 g	84	
Sahneschichtkäse (50 %), 40 g	77	
Sauermilchkäse (unter 10 %), 30 g	43	
Schafkäse, 300 g	1155	
Schafkäse, 100 g	385	
Schichtkäse (30 %), 40 g	55	○
Schichtkäse (20 %),	46	○
Schmelzkäse (70 %), 30 g	114	○
Schmelzkäse (50 %), 30 g	93	○
Schmelzkäse (20 %), 30 g	52	○ ○
Tilsiter (50 %), 30 g	117	
Tilsiter (40 %), 30 g	103	
Tilsiter (30 %), 30 g	90	

Kartoffeln, Kartoffelprodukte

Batate (Süßkartoffel), 200 g	182	○ ○
Kartoffelbreiflocken, 15 g, 1 EL	42	○ ○
Kartoffelchips, 1 Stück	9	
Kartoffelkloß, 90 g	125	○
Kartoffeln, geschält, gegart, 150 g	105	
Kartoffeln, ungeschält, gegart, 200 g	116	
Pommes frites, 150 g	420	

Kräuter, Würzmittel

Brühe, gekörnt, 5 g, 1 TL	12	
Brühwürfel, 15 g, 1 Stück	36	
Essig, 15 g, 1 EL	–	
Hefeaufstrichpaste, 5 g, 1 TL	18	
Kapern, 5 g, 1 TL	3	
Knoblauch, gegart, 2 g	1	○ ○
Meerrettich, 8 g, 1 TL	3	○
Petersilie,1 TL	1	○ ○
Schnittlauch, 8 g, 1 EL	2	○ ○
Schnittlauch, getr. 5 g, 1 EL	6	○ ○
Senf, 5 g, 1 TL	7	○ ○
Senf, süß, 5 g, 1 TL	7	○ ○
Sojasoße, 20 g, 1 EL	14	○ ○
Suppengrün, gegart, 80 g	11	○ ○
Suppengrün, getr. 30 g, 1 EL	36	○ ○
Tofu, 5 g, 1 TL	3	○ ○
Tomaten-Ketchup, 15 g, 1 EL	16	
Tomatenmark, 10 g, 1 TL	4	○ ○
Zwiebel, getrocknet, 5 g 1 EL	9	○ ○
Zwiebel, geröstet, 5 g, 1 EL	27	

Milch, Milchprodukte

Buttermilch, 200 g	72	
Buttermilchpulver, 10 g, 1 EL	38	○
Dickmilch (0,3 %), 200 g	72	
Dickmilch (1,5 %), 200 g	98	○
Dickmilch (1,5 %), mit Früchten, 200 g	94	○
Dickmilch (3,5 %), 200 g	132	○
Dickmilch (3,5 %), mit Früchten, 200 g	124	○
Dickmilch (10 %), Sahne, 200 g	246	○
Dickmilch (10 %), Sahne, mit Früchten, 200 g	214	○
Milch (0,3 %), Magermilch, pasteurisiert, 1 Glas, 0,2 l	72	
Milch (0,3 %), H-Milch, 1 Glas, 0,2 l	72	
Milch (1,5 %), sterilisiert, 1 Glas, 0,2 l	98	
Milch (1,5 %), 1 Glas, 0,2 l	98	○
Milch (1,5 %), H-Milch, 1 Glas, 0,2 l	98	
Milch (3,5 %), Vollmilch/Rohmilch, 1 Glas, 0,2 l	132	○
Milch (3,5 %), pasteurisiert, 1 Glas, 0,2 l	132	○
Milch (3,5 %), H-Milch, 1 Glas, 0,2 l	132	○
Magermilchpulver, 8 g, 1 EL	30	○

Vollmilchpulver, 12 g, 1 EL	61	○
Sahne (30 %), gezuckert, 5 g, 1 TL	16	
Sahne (40 %), gezuckert, 5 g, 1 TL	19	
Sahnepulver, 10 g, 1 EL	79	
Saure Sahne (10 %), 15 g, 1 EL	18	○
Saure Sahne (20 %), 15 g, 1 EL	31	
Saure Sahne (30 %), 15 g, 1 EL	44	
Saure Sahne/Crème fraîche (40 %), 15 g, 1 EL	58	
Schlagsahne (30 %), 25 g, 1 EL	79	
Joghurt (0,3 %), Magermilch, 150 g	60	
Joghurt (0,3 %), mit Früchten, 150 g	11	
Joghurt (1,5 %), 150 g	75	○
Joghurt (1,5 %), mit Früchten, 150 g	133	
Joghurt (3,5 %), 150 g	108	○
Joghurt (3,5 %), mit Früchten, 150 g	142	○
Joghurt (10 %), Sahne, 150 g	189	○
Joghurt (10 %), Sahne, mit Früchten, 150 g	214	
Kefir (0,3 %), 15 g, 1 EL	5	
Kefir (3,5 %), 15 g, 1 EL	10	○
Kefir (10 %), Sahne, 15 g, 1 EL	12	○
Kondensmilch (10 %), 5 g, 1 TL	9	○
Kondensmilch (7,5 %), 5 g, 1 TL	6	○
Kondensmilch (4 %), 5 g, 1 TL	5	○
Kondensmilch (10 %), gezuckert, 5 g, 1 TL	17	
Molke, 1 Glas, 0,2 l	53	
Molkepulver, 10 g, 1 EL	34	○

Nudeln und Reis

Frischeiteigwaren, gegart, 125 g	198	
Frischeiteigwaren, ungekocht, 15 g, 1 EL	57	
Hartgrießteigwaren, gegart, 100 g	159	
Nudeln, grün, gegart, 200 g	324	
Reis, poliert, gekocht, 30 g, 1 EL	28	
Reis, poliert, ungekocht, 15 g, 1 EL	56	
Reis, Naturreis, gekocht, 30 g, 1 EL	27	
Reis, Naturreis, ungekocht, 15 g, 1 EL	71	
Spätzle, 150	372	
Teigwaren, mit hohem Eigehalt, gegart, 125 g	206	
Vollkornteigwaren, gegart, 125 g	198	○

Nüsse, Kerne, Samen

Cashewnuß, 125 g	731	○
Edelkastanie, gegart, 125 g	202	○
Edelkastanie, geröstet, 125 g	221	○ ○
Erdnuß, gesalzen, 1 Stück	4	○
Erdnuß, 20 g, 1 EL	120	○
Erdnuß, geröstet, 8 g, 1 EL	47	○
Erdnuß, geröstet, 50 g, 1 Beutel	298	○
Haselnuß, 1 g, 1 Stück	10	○
Kokosnuß, Raspeln, 10 g, 1 EL	40	
Kokosnuß, 50 g	128	
Leinsamen, 15 g, 1 EL	74	○ ○
Mandel, 2 g, 1 Stück	12	○ ○
Mandel, geröstet, 2 g, 1 Stück	12	○ ○
Paranuß, 6 g, 1 Stück	40	○
Pistazie, 125 g	770	○
Pistazie, geröstet, 125 g, 1 Beutel	762	○
Sesam, 8 g, 1 EL	46	
Sonnenblumenkerne, 20 g, 1 EL	80	
Studentenfutter, 20 g, 1 EL	75	
Studentenfutter, 75 g, 1 Beutel	281	
Walnuß, 5 g, 1 Stück	34	○

Obst, Obstwaren

Ananas, 125 g	65	
Apfel, 150 g, 1 Stück	61	○
Apfel, gegart (Bratapfel), 125 g	47	
Apfel, getrocknet, 5 g, 1 Stück	11	○
Aprikose, 70 g, 1 Stück	28	○
Aprikose, getrocknet, 25 g	56	○ ○
Avocado, 200 g, 1 Stück	424	○ ○
Backobst, 25 g	70	○
Banane, gegart, 125 g, 1 Stück	91	○
Banane, 125 g, 1 Stück	91	○
Banane, getrocknet, 25 g	70	○
Birne, 150 g, 1 Stück	73	
Brombeeren, 150 g	54	○ ○
Clementine, 40 g, 1 Stück	16	○
Dattel, 15 g, 1 Stück	41	
Dattel, getrocknet, 7 g, 1 Stück	19	
Erdbeeren, 150 g	46	○
Feige, 60 g, 1 Stück	85	○
Feige, getrocknet, 30 g, 1 Stück	80	○
Granatapfel, 100 g, 1 Stück	64	○
Grapefruit, 250 g, 1 Stück	95	○
Guave, 125 g, 1 Stück	52	○ ○
Heidelbeeren, 125 g	62	○
Himbeeren, 150 g	45	○
Holunderbeeren, 150 g	43	○ ○
Holunderbeeren, gegart, 125 g	43	○ ○
Johannisbeeren, rot, 150 g	42	○
Johannisbeeren, schwarz, 150 g	57	○ ○
Johannisbeeren, weiß, 125 g	43	○
Kaki, 250 g	165	○
Kiwi, 100 g	45	○ ○
Litchi, 40 g	16	○
Mandarine, 40 g	16	○
Mango, 250 g	170	○ ○
Melone, Honigmelone, 150 g	78	
Melone, Wassermelone, 150 g	39	
Melone, Zuckermelone, 150 g	45	○
Mirabelle, 125 g	68	
Nektarine, 125 g	73	○
Olive, grün, 20 g	30	○ ○
Olive, schwarz, 20 g	70	
Orange, 140 g	63	○
Papaya, 200 g	64	○ ○
Passionsfrucht, 40 g	20	○ ○
Pfirsich, 150 g	55	○
Pfirsich, getrocknet, 25 g	58	○
Preiselbeeren, Konserve, 100 g	48	
Quitte, 150 g	55	
Reineclaude, 8 g	4	
Rhabarber, gegart, 150 g	18	
Sanddornbeeren, 100 g	91	○ ○
Sauerkirschen, gegart, 125 g	58	
Stachelbeeren, 130 g	36	○
Stachelbeeren, gegart, 125 g	30	
Süßkirschen, 250 g	127	○

Weintraube, rot, 150 g	99	○
Weintraube, rot, getrocknet, 10 g, 1 EL	29	○
Weintraube, weiß, 150 g	99	○
Weintraube, weiß, getrocknet, 10 g, 1 EL	29	○
Zitrone, 80 g	16	
Zwetschge, 15 g	6	○
Zwetschge, 125 g	58	○
Zwetschge, getrocknet, 6 g	13	○

Säfte, Saftgetränke

Ananas, Fruchtsaft 0,1 l	55	
Apfel, Fruchtsaft, 0,2 l	94	
Aprikose 0,1 l	46	
Birne, Fruchtnektar, 0,1 l	56	
Grapefruit, Fruchtsaft 0,2 l	80	
Guave, Fruchtsaft, 0,2 l	84	
Himbeere, Fruchtsaft	30	
Himbeere, Fruchtnektar	40	
Holunderbeere, Fruchtsaft, 0,1 l	39	○
Johannisbeere, rot, Fruchtsaft, 0,1 l	28	
Johannisbeere, rot, Fruchtnektar, 0,1 l	35	
Johannisbeere, schwarz, Fruchtsaft, 0,2 l	78	
Mandarine, Fruchtsaft, 0,1 l	44	
Mohrrübe, Gemüsesaft, 0,1 l	21	○
Orange, Fruchtnektar, 0,2 l	104	
Orange, Fruchtsaft, 0,2 l	92	
Passionsfrucht, Fruchtsaft, 0,2 l	43	○
Passionsfrucht, Fruchtnektar, 0,2 l	78	
Pfirsich, Fruchtnektar, 0,2 l	94	
Rote Rübe (rote Bete), Gemüsesaft, 0,1 l	24	
Sanddornbeere, Fruchtsaft, 0,1 l	58	○ ○
Sauerkirsche, Fruchtsaft, 0,2 l	112	
Sojamilch	43	○ ○
Spinat, Gemüsesaft, 0,1 l	13	○ ○
Tomate, Gemüsesaft, 0,1 l	11	
Weintraube, rot, Fruchtsaft, 0,2 l	146	
Weintraube, weiß, Fruchtsaft, 0,2 l	146	
Zitrone, Fruchtsaft, 15 g, 1 EL	4	

Suppen

Fleischbrühe, klar, 1 Teller	7	
Gemüsebrühe, 1 Teller	25	
Hefebrühe-Extrakt, mit Gemüse, 5 TL	15	○ ○
Hühnerbrühe, klar, 1 Teller	7	

Wild

Hase, Fleisch (mf), gegart, 125 g	172	○
Hasenbraten, 150 g	232	
Hirsch, Fleisch (mf), gegart, 125 g	180	○
Hirschschlegel, 125 g	215	○
Reh, Braten, 125 g	232	
Reh, Fleisch (mf), gegart, 125 g	180	○
Reh, Rücken, 125 g	222	
Wildkaninchen, Fleisch (mf), gegart, 125 g	192	○
Wildragout, 200 g	224	○ ○

Alkoholfreie Getränke

Bohnenkaffee, 1 Tasse	2
Cola-Getränke (coffeinhaltig), 1 Glas, 0,2 l	88
Cola-Getränke, kalorienarm, 1 Glas, 0,2 l	8
Kakao, gezuckert, 1 Tasse	130
Kräutertee, 1 Tasse	1
Limonade, kalorienarm, 1 Glas, 0,2 l	8
Limonade, mit Bitterstoffen, 1 Glas, 0,2 l	48
Limonade, mit Fruchtsäften, 1 Glas, 0,2 l	52
Limonade, mit Fruchtgeschmack, 1 Glas, 0,2 l	48
Mineralwasser	–
Tee, 1 Tasse	1

Alkoholische Getränke

Berliner Weiße mit Schuß, 1 Glas, 0,3 l	126
Bier, Bockbier hell, 1 Glas, 0,2 l	156
Bier, Diätbier, 1 Glas, 0,2 l	82
Bier, Doppelbock, 1 Glas, 0,2 l	156
Bier, Export dunkel, 1 Glas, 0,2 l	118
Bier, Export hell, 1 Glas, 0,2 l	110
Bier, Kölsch, 1 Glas, 0,2 l	98
Bier, Pils, 1 Glas, 0,2 l	110
Bier, Starkbier, 0,3 l	257
Bier, Weizenbier, 1 halber Liter	265
Bier, alkoholfrei, 1 Glas, 0,2 l	60
Bier, mit Limonade, 1 Glas, 0,2 l	70
Cremelikör, 1 Schnapsglas, 2 cl	74
Fruchtbrandy, 1 Schnapsglas	74
Glühwein, 1 Glas, 0,2 l	144
Kräuterlikör, Magenbitter, 1 Schnapsglas	74
Malzbier, 1 Glas, 0,2 l	98
Obstwein, 1 Glas, 0,2 l	88
Rotwein, leicht, 1 Weinglas	76
Rotwein, schwer, 1 Weinglas	91
Rumtopf, 1 Glas, 0,2 l	153
Schorle, 1 Glas, 0,2 l	52
Sekt, 1 Glas	81
Spirituosen (rund 40 %), 1 Schnapsglas	49
Süßwein, 1 Glas, 5 cl	92
Weißherbst, 1 Weinglas, 0,1 l	72
Weißwein, 1 Weinglas	76
Weißwein, Spätlese, 1 Weinglas	88
Wermutwein, 1 Weinglas	100

Brigitte-Themen als Brigitte-Bücher

Lexikon
Die Frau
Körper – Seele – Gesundheit
Von Renate Scholz und Margaret Minker
352 Seiten, 260 Begriffe, 225 farbige Illustrationen

Naturheilweisen
vorbeugen – helfen – heilen
Von Renate Scholz und Margaret Minker
350 Seiten, 40 Zeichnungen

Schönheitsoperationen
Entscheidungshilfen – Operationsmethoden – Alternativen
Von Margaret Minker und Renate Scholz
352 Seiten, 26 Zeichnungen

Gymnastik
Von Ilse Döring
168 Seiten, 200 Zeichnungen

Fit & Schön
Bewegung, Entspannung, Ernährung, Gesundheit
Von Karin Felix
240 Seiten, 235 Farbfotos, 35 Zeichnungen

Brigitte Diät
Von Helga Köster
200 Seiten, 50 Farbfotos

Brigitte Diät/2
Von Helga Köster
256 Seiten, 200 Farbfotos

Brigitte Vollwert-Diät
Von Barbara Rias-Bucher
192 Seiten, 48 Farbfotos

Fleischlos glücklich
Von Elisabeth Lange
160 Seiten, 29 Farbfotos

Kochen für die Klicke
144 Seiten, 16 farbige Fotoseiten

Kochen für zwei
Von Inge Schiermann
160 Seiten, 45 Farbfotos

Kleine Kuchen
Von Barbara Rias-Bucher
160 Seiten, 41 Farbfotos

Vollwert-Menüs
Von Barbara Rias-Bucher
160 Seiten, 48 Farbfotos

Balkonbuch
Gärten auf kleinstem Raum
Von Erika Markmann
176 Seiten, über 90 Farbfotos und Zeichnungen

Frisch vom Balkon
Gemüse, Kräuter, Obst – selbst angebaut
Von Erika Markmann
128 Seiten, 16 Farbseiten

Das mache ich selbst
Reparaturen zu Hause – leichtgemacht
Von Walter Diem
160 Seiten mit 100 Zeichnungen

Handarbeiten fürs Baby
Von Kathrin Behrens und Ariane Heyduck
160 Seiten, 51 Farbfotos, 99 Zeichnungen, Beilagebogen

Puppenmode
Von J. Barthel und G. Heine
160 Seiten, 40 Farbfotos

Kinderfeste
Von G. Könemund
128 Seiten, durchgehend vierfarbig illustriert

Neues Nähen
Von Käthe Fischer und Antje v. d. Heyde
144 Seiten, 30 Farbfotos, 300 Zeichnungen, Schnittauflagepläne, Schnittbogen

Schönheit
Von Helga Haseltine
226 Seiten, 150 Farbfotos

Heiraten
Das genaue Drehbuch für das schönste Fest Ihres Lebens
Von Hannelore Krollpfeiffer
200 Seiten, 200 Farbfotos

wer hat schon flügel
Gedichte von Anne Steinwart
96 Seiten, 10 Fotos

Nicht aufzuhalten
Neue Gedichte von Anne Steinwart
80 Seiten

Den Arm voller Blumen für euch
Gedichte, 96 Seiten

Weil es nichts Schöneres gibt
Liebesgedichte
96 Seiten, 20 Zeichnungen

Tränen ersatzlos gestrichen
Gedichte von Frauen
96 Seiten

Wir treffen uns morgen
Die schönsten Erzählungen aus Brigitte
Paperback, 288 Seiten

Empfängnisverhütung
Von Angelika Blume
Paperback, 288 Seiten, 20 Zeichnungen

Die Regel
Von Angelika Blume und Sylvia Schneider
Paperback, 256 Seiten, 8 Zeichnungen

Wechseljahre
Von Sylvia Schneider
Paperback, 288 Seiten

Droge Glücksspiel
Von Ulla Fröhling
Paperback, 288 Seiten

Als Kind mißbraucht
Von Angelika Gardiner-Sirtl
Paperback, 224 Seiten

Wege aus der Depression
Von Maggie Scarf
Paperback, 304 Seiten

Strategien für Frauen im Beruf
Von J. LaRouche und R. Ryan
Paperback, 325 Seiten

Frauen machen sich selbständig
Von Erika Markmann
Paperback, 168 Seiten

Wenn Sie mich so fragen
Rosemarie von Zitzewitz gibt Antworten auf Benimmfragen
Paperback, 192 Seiten

Das zweite Glück
Erfahrungen mit der zweiten Partnerschaft
Von Andrea Kunsemüller
Paperback, 224 Seiten

Eine Familie bleiben
Das gemeinsame Sorgerecht – ein neuer Weg bei Ehescheidungen
Von Barbara Wilde
Paperback, 240 Seiten

Mit eigenen Augen sehen
Selbstliebe lernen
Körpergefühl verbessern
Von Margaret Minker
Ein Handbuch für Frauen
Paperback, 160 Seiten